Les Civilisations

Direction éditoriale : Christophe Savouré
Édition : Servane Bayle, Élodie Lépine
Direction artistique : Danielle Capellazzi, assistée d'Isabelle Mayer
Conception graphique : Killiwatch
Réalisation graphique : Filigrane
Conception graphique de la couverture : Armelle Riva
Fabrication : Marie Guibert, Sabine Marioni
Contribution rédactionnelle et index : Isabelle Macé

Un grand merci à Félicie Cogan, Katia Davidoff et Charlotte Le Tarnec pour leur précieuse aide.

Dépôt légal : octobre 2002
ISBN : 2 215 051 91-4
N° d'édition : 93400
Édition brochée n° M10113, septembre 2010
ISBN : 978 2 215 10046-1
MDS : 591314

Photogravure : IGS Charente Photogravure
Imprimé en Chine en septembre 2010 par Book Partners China, Ltd.
Loi n° 49-956 du 16 juillet 1949 sur les publications destinées à la jeunesse.

ENCYCLOPÉDIE junior

Les Civilisations

DOMINIQUE JOLY

Sommaire

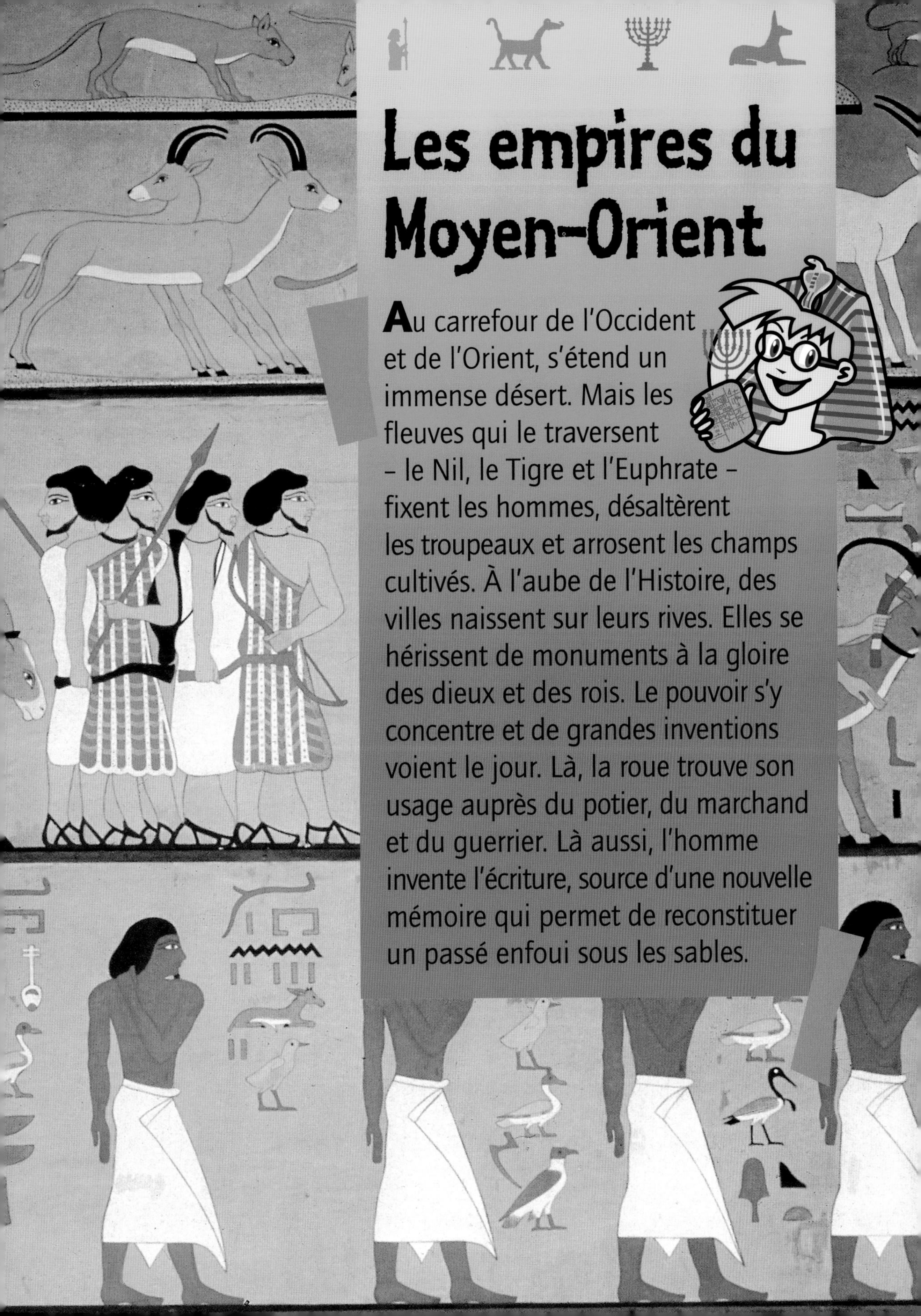

Les empires du Moyen-Orient

Au carrefour de l'Occident et de l'Orient, s'étend un immense désert. Mais les fleuves qui le traversent – le Nil, le Tigre et l'Euphrate – fixent les hommes, désaltèrent les troupeaux et arrosent les champs cultivés. À l'aube de l'Histoire, des villes naissent sur leurs rives. Elles se hérissent de monuments à la gloire des dieux et des rois. Le pouvoir s'y concentre et de grandes inventions voient le jour. Là, la roue trouve son usage auprès du potier, du marchand et du guerrier. Là aussi, l'homme invente l'écriture, source d'une nouvelle mémoire qui permet de reconstituer un passé enfoui sous les sables.

Mésopotamie, terre des premières cités

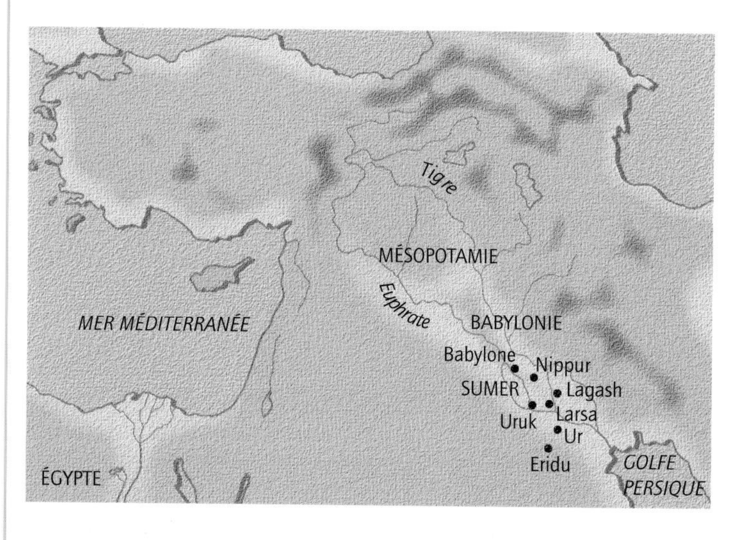

Au cœur du désert du Proche-Orient brûlé par le soleil, deux fleuves – le Tigre et l'Euphrate – apportent la vie. Sur leurs berges, les paysans cultivent la terre. À proximité, se dressent les silhouettes de cités entourées de murailles. Édifiées à partir de 3500 av. J.-C., elles sont les premières villes de l'Histoire.

Au pays de Sumer

Les Sumériens sont le premier peuple à occuper et à dominer le Sud de la Mésopotamie dès 3500 av. J.-C. Dans cette immense plaine, s'épanouit pendant près de trois millénaires un des premiers foyers de civilisation, grâce au développement de l'agriculture irriguée. Pour maîtriser les crues des fleuves qui inondent irrégulièrement la région entre avril et juin, les Sumériens entreprennent de grands travaux. Ils construisent des digues et des réservoirs, et creusent des canaux d'écoulement. Ainsi, la terre gorgée d'eau et chauffée par le soleil ardent fournit de magnifiques récoltes de blé, de millet, de sésame et surtout d'orge. Une partie du surplus est mise en réserve pour répondre aux besoins de la population

croissante. L'autre sert de monnaie d'échange pour l'achat de minerais, de bois, de pierres de construction qui manquent au pays.

À la croisée des routes

Les richesses créées rendent trop étroit le cadre du village. Les hommes se regroupent et de véritables cités naissent. Cernées de murailles, elles garantissent la sécurité. Situées au croisement des pistes du désert, elles accueillent les marchands qui vendent les matières premières nécessaires aux artisans. Potiers, tisserands et forgerons fabriquent les objets de la vie quotidienne. Des hommes de loi rédigent des règlements précisant les devoirs de chacun. Une douzaine de cités surgissent des sables du désert. Les principales sont Uruk, Ur, Eridu, Larsa, Nippur et Lagash. Rarement alliées et même souvent en guerre, elles cherchent à dominer les campagnes environnantes et à contrôler les grands axes du commerce.

Une cité, un roi, un dieu

Les villes les plus influentes forment des cités-États indépendantes. Leur territoire et leurs habitants sont gouvernés par un roi tout-puissant qui concentre autorité politique, militaire et économique. Ce souverain partage le pouvoir religieux avec les prêtres qui assurent le culte au dieu protecteur de la cité. Peuplées de 50 000 à 400 000 habitants, les villes se couvrent de nombreux édifices de briques crues. Maisons, ateliers et magasins bordent les rues étroites et tortueuses qui convergent vers le temple.

Le Déluge : vrai ou faux ?

La Bible évoque un déluge qui s'abat sur la Terre pendant quarante jours et la détruit. Les Hébreux se sont semble-t-il inspirés des Sumériens pour raconter cette catastrophe naturelle qui, plus qu'une légende, serait un événement réel. Des archéologues ont localisé à Ur, Kish et Shuruppak des couches épaisses de dépôts apportés par les fleuves, ce qui laisse supposer une inondation très importante. Quoi qu'il en soit, le pays de Sumer était régulièrement sinistré par des crues.

L'invention de l'écriture

Pour répondre aux nécessités du commerce et aux besoins d'une administration naissante, l'écriture apparaît au pays de Sumer vers 3300 av. J.-C. En permettant de communiquer et de fixer durablement le langage et la pensée, cette invention est décisive. Elle fait entrer l'homme dans l'Histoire car elle permet de reconstituer sa vie avec une plus grande précision.

Sur cette tablette d'argile, des pictogrammes sont gravés et disposés en colonnes.

Des scribes enregistrent le nombre de têtes de bétail que le propriétaire d'un domaine vient d'acheter.

D'après la légende...

Il était une fois, dans le pays de Sumer, le puissant roi d'Uruk, Enmerkar, qui voulait soumettre la riche cité d'Aratta, dans l'actuel Iran. Un jour, il envoya au maître de ce lieu un messager chargé de rapporter un butin d'or et d'argent. Comme les deux seigneurs n'arrivaient pas à se comprendre, l'envoyé dut faire de nombreux allers-retours entre les deux cités, jusqu'au jour où il tomba épuisé aux pieds du roi d'Uruk, incapable de répéter le message. On raconte qu'Enmerkar inventa alors l'écriture en transcrivant sur une tablette d'argile les paroles qu'il voulait transmettre.

Et dans l'histoire vraie...

Cette légende est éloignée de la réalité, mais s'en inspire quelque peu. Les cités prospères du pays de Sumer tirent leur richesse de l'agriculture et de l'élevage. Elles échangent également des marchandises entre elles et avec les pays plus lointains comme l'Iran ou l'Égypte. Elles ont alors besoin d'un système qui permette de garder la trace des biens produits et mis en circulation. Les scribes, qui ont la tâche de stocker les récoltes et les têtes de bétail des domaines appartenant aux temples, prennent l'habitude vers 3300 av. J.-C. d'enregistrer chaque produit. Pour cela, ils gravent sur une tablette d'argile humide une encoche accompagnée d'un dessin schématique représentant l'objet. De cette façon, ils élaborent un système basé sur des pictogrammes.

Étoile

Oiseau

Vache

Épi d'orge

Évolution de l'écriture sumérienne : du pictogramme au cunéiforme.

Dessins, signes et rébus

Si ce procédé permet de traduire en signes des mots facilement représentables, il ne peut exprimer des idées ni décrire des situations compliquées. Les Sumériens pensent alors à utiliser des pictogrammes pour noter des sons et des syllabes. Ainsi sont nés les phonogrammes – ancêtres de nos lettres – qui, associés, forment des mots puis des phrases, à la manière des rébus. Cette première écriture qui transcrit la langue sumérienne comporte 300 signes. Elle est appelée "cunéiforme" car ses signes ont la forme de coins ou de clous (ce qui se dit *cuneus* en latin). Ils sont le résultat d'une évolution qui transforme peu à peu les dessins en signes abstraits.

Prenez des notes !

Les scribes, les seuls à savoir lire et écrire, utilisent l'argile comme support, car elle abonde en Mésopotamie alors que le bois et la pierre sont rares. Sur des tablettes encore molles, ils gravent les signes avec des tiges de roseaux taillées en pointe : les calames. Ils consignent d'abord les inventaires de produits et, plus tard, les lois, les légendes et les événements historiques. Après avoir été cuites au four ou séchées au soleil, les tablettes deviennent dures et se conservent très longtemps.

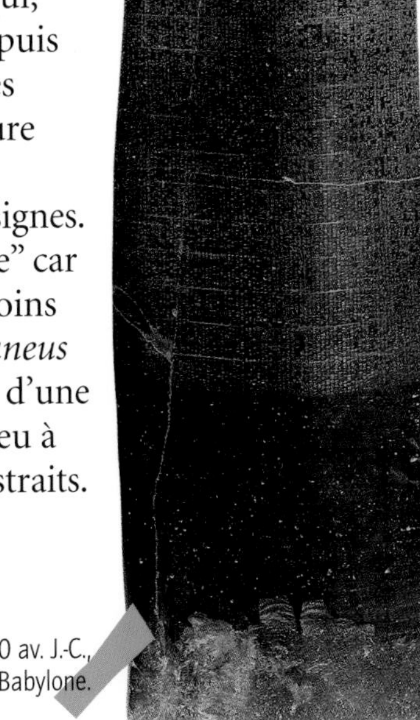

Premier texte de loi rédigé vers 1760 av. J.-C., au temps d'Hammurabi, roi de Babylone.

Au service des dieux

La religion mésopotamienne est la plus ancienne religion connue. Un grand nombre des textes gravés dans l'argile qui nous sont parvenus nous renseignent sur les croyances et les pratiques religieuses des peuples de cette région.

Les dieux sont représentés avec une coiffure ornée de cornes. Les plus importants sont assis sur un trône.

Nombreux et tout-puissants

Les Mésopotamiens croient en une foule de dieux qui seraient sortis du chaos au moment de la naissance du monde. Le dieu An (ou Anu) est le créateur du ciel et de l'univers, mais il a confié le pouvoir à son fils Enlil, dieu de l'air et de la terre, remplacé à partir du IIe millénaire à Babylone par le redoutable Marduk. Enki, le dieu des eaux et du monde souterrain, les assiste. Ces trois dieux principaux sont entourés de nombreuses divinités associées au soleil, à la lune, à l'orage ou à la pluie. La plus grande des déesses est Innama-Ishtar qui apporte l'amour, la fécondité, mais aussi la guerre. Ces dieux sont immortels, dotés d'une autorité absolue et d'une grande intelligence. Mais ils vivent comme les hommes qu'ils ont créés pour les servir.

Statuette d'un personnage en prière déposée dans un temple.

Ziggourat d'Ur.

Entre ciel et terre

Le premier devoir des hommes est de prier et d'apporter aux dieux des offrandes dans les demeures qu'ils ont construites pour eux : les ziggourats. Ce sont des tours à étages, édifiées en briques et couronnées par un petit temple abritant la statue du dieu qui protège la cité. Plantés au milieu d'une vaste aire sacrée, ces édifices symbolisent le lien entre le ciel et la terre. Chaque jour, les habitants empruntent les longs escaliers, les bras chargés d'offrandes : nourriture, boissons de choix, parfums et bijoux. Ils les déposent aux pieds de la statue. Les jours de fête, celle-ci est promenée en procession et les fidèles sont conviés à participer à des festins en sa présence.

À l'écoute des dieux

Les dieux manifestent leur volonté à travers chaque événement de la vie quotidienne. Pour connaître et interpréter leurs désirs ou leur mécontentement, les prêtres – qui sont à la fois des savants, des médecins et des magiciens – ont recours à toutes sortes de pratiques. À l'occasion de maladies ou de situations exceptionnelles, ils observent les entrailles d'animaux sacrifiés. Ils pratiquent aussi l'astrologie en scrutant les mouvements des astres. Enfin, ils conjurent les maladies à l'aide de formules magiques ou d'amulettes de protection.

La légende de Gilgamesh

Les exploits de ce héros légendaire, un roi très ancien d'Uruk, sont racontés dans un long poème qui était pour les Mésopotamiens ce que l'*Iliade* et l'*Odyssée* représentaient pour les Grecs (*voir p. 59*). Avec Enkidu, un être sauvage devenu son ami, Gilgamesh réalise douze prouesses comme celle de tuer le géant Humbaba. Mais Enkidu tombe malade et meurt. Désespéré, Gilgamesh part à la recherche de la plante d'immortalité. Quand il la trouve, un serpent la lui dérobe aussitôt. Le héros comprend alors qu'il ne peut échapper au destin des hommes : il est et restera mortel !

Terribles rois assyriens

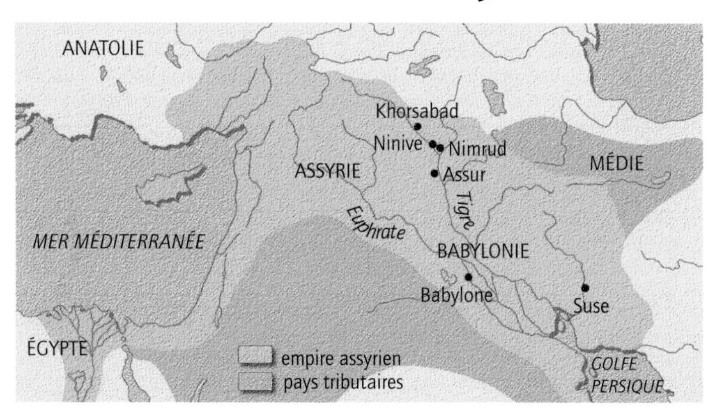

La Mésopotamie est très disputée au cours du Ier millénaire av. J.-C. La région est dominée tour à tour par les Assyriens, les Babyloniens et les Perses. Ces trois peuples conquérants y fondent de puissants empires à la gloire éphémère.

Le rêve d'un empire universel

Sur les bords du Tigre, le modeste royaume d'Assyrie, centré sur sa capitale Assur, s'enrichit grâce au commerce des métaux organisé avec les villes d'Anatolie. Pour repousser l'invasion de nomades qui recherchent des terres, les Assyriens se dotent d'une armée puis se lancent à la conquête de nouveaux territoires.

Dans les territoires conquis, les Assyriens déportent systématiquement les hommes et les femmes les plus aisés.

À partir de 900 av. J.-C., les cavaliers qui montent sans selle ni étriers volent de victoire en victoire. Avec une rare cruauté, ils soumettent les peuples voisins par des exécutions, des déportations et des pillages. Vers 800 av. J.-C., l'empire assyrien couvre tout le Moyen-Orient et s'étend de l'Égypte jusqu'au golfe Persique. Les grands rois conquérants, tels Assurnazirpal II, Salmanazar III ou Sargon II, se définissent eux-mêmes comme les maîtres d'un empire universel.

Les guerriers affamés de victoires soumettent les peuples voisins lors de sanglantes batailles.

De grands bâtisseurs

Chaque roi, soucieux de se distinguer de ses prédécesseurs, affirme sa puissance en fondant une nouvelle capitale où s'élèvent palais et temples. Ainsi à Assur, Nimrud, Khorsabad et Ninive se dressent des constructions grandioses au luxe jusque-là inconnu. Les palais sont à la fois centres de l'administration, résidences royales et temples. Les salles de réception et les cours d'honneur, décorées de sculptures et de peintures représentant les exploits du roi, illustrent sa toute-puissance. Pour s'assurer la protection des dieux, le souverain leur élève de grands temples. Il place aussi aux entrées du palais des créatures colossales pour conjurer les forces du mal.

De grands taureaux ailés à tête d'homme montent la garde à l'entrée des palais.

Grandeur et chute

Sargon II et surtout Assurbanipal font de l'Assyrie un empire brillant. Mais il est fondé sur la violence et la terreur. Les populations vaincues ne sont pas intégrées et elles sont rançonnées par les gouverneurs qui prélèvent de lourds impôts. La chute est rapide. Les Mèdes, alliés aux Babyloniens, attaquent brutalement l'empire assyrien qui s'effondre, épuisé et haï de tous les peuples voisins. Ninive, la capitale qui surpasse en taille et en splendeur toutes les villes du monde civilisé, est brûlée et rasée en 612 av. J.-C. Il n'en reste que les palais incendiés et les tablettes cunéiformes de la bibliothèque où avait été conservé tout le savoir des premiers peuples de Mésopotamie.

La chasse, un devoir royal

Pour les Assyriens, les bêtes sauvages représentent le mal et le chaos auxquels doit s'opposer le roi, chargé de la bonne marche du monde. Le lion, l'animal le plus noble et le plus dangereux, est son adversaire favori. La chasse royale est soigneusement organisée. On charge le matériel sur le dos des mulets et des serviteurs mènent une meute de chiens. Les courtisans prennent place sur les hauteurs d'où ils assistent à la chasse. Les lions sont ensuite lâchés pour permettre au roi de les tirer.

La splendeur des Babyloniens

Après les Assyriens, les Babyloniens se rendent maîtres de la Mésopotamie. À leur tour, ils étendent leur domination au loin et fondent un empire. Ils redonnent à l'ancienne ville de Babylone tout son éclat. Parée de murailles, de palais et de temples, la cité fascine par sa splendeur et sa démesure.

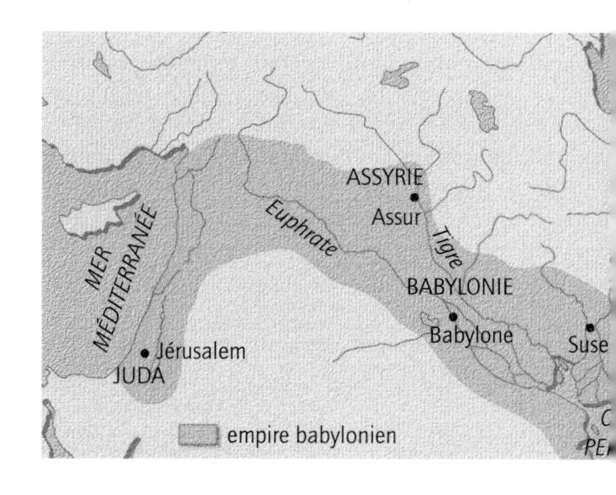

Un nouvel empire

Nabopolassar s'empare du pouvoir à Babylone au moment où les Assyriens assiégés se battent pour maintenir leur empire. Quand ces derniers sont vaincus, Nabuchodonosor II, le fils de Nabopolassar, se lance à l'assaut des territoires de la région. Il domine bientôt un vaste empire qui s'étend du Tigre à la Méditerranée. De toutes ses conquêtes, la plus célèbre est la prise de Jérusalem en 587 av. J.-C. La capitale du royaume de Juda est détruite et sa population déportée, emmenée en captivité à Babylone. Mais cet empire dure à peine soixante-quinze ans. Il disparaît à son tour en 539 av. J.-C., victime de la nouvelle puissance de la Perse.

On peut entrer à Babylone par la porte d'Ishtar couverte de briques émaillées où figure le dieu protecteur de la ville : Marduk, le dragon cornu.

Babylone la magnifique

La richesse économique de l'empire, basée sur le commerce entre l'Orient et la Méditerranée, permet à Nabuchodonosor de faire de Babylone un joyau d'architecture. Il achève la ziggourat à sept étages dédiée à Marduk, le dieu protecteur de la cité. Cet édifice sacré est plus connu sous le nom de "tour de Babel". Le souverain agrandit et décore le palais royal et, à partir de la splendide porte d'Ishtar, il trace dans la ville une très large voie de procession. La capitale suscite l'admiration des visiteurs avec ses cinq murailles, son pont qui enjambe l'Euphrate et les jardins suspendus du palais, une des Sept Merveilles du monde (*voir p. 78*). Les villes de Babylonie ne sont pas en reste. Leurs édifices resplendissent d'or, d'argent et de bois précieux.

Ce lion représente Ishtar, la plus grande des déesses, que les Mésopotamiens honoraient déjà.

La capitale des savants

Babylone, ville des scribes et des savants, rayonne par sa grande vitalité intellectuelle. Les mathématiciens introduisent le système décimal (base 10) employé dès lors dans la vie quotidienne, mais ils conservent pour leurs calculs le système sexagésimal (base 60) inventé par les Sumériens. Celui-ci est encore utilisé aujourd'hui pour mesurer le cercle et les angles en degrés, ou pour diviser le temps en heures, minutes et secondes. Les astronomes mettent au point un calendrier de douze mois auquel est ajouté un mois supplémentaire tous les six ans afin de faire coïncider l'année lunaire (354 jours) et l'année solaire (365 jours).

Il ne reste plus rien de la ziggourat de Babylone. Mais depuis l'Antiquité, elle n'a jamais cessé d'être représentée, au gré de l'imagination des artistes.

La tour de Babel

Chaque printemps, pour la fête du Nouvel An, le temple de Marduk situé au sommet de la ziggourat est purifié. Un banquet est offert au dieu et sa statue est promenée en tête d'une procession à travers la ville. Il ne reste aujourd'hui aucune trace de l'édifice qui stupéfia ses contemporains par sa hauteur estimée à 90 m. Évoqué dans la Bible, il symbolise l'orgueil des hommes qui cherchent à défier Dieu en construisant toujours plus haut.

Les mille éclats de l'empire perse

Depuis longtemps, les Perses, installés au nord-est du golfe Persique, convoitent les riches terres de Mésopotamie, dont la position de carrefour est stratégique. Leur roi, Cyrus II le Grand, parvient à conquérir l'empire babylonien en 539 av. J.-C. Et ses successeurs ne s'en tiennent pas là…

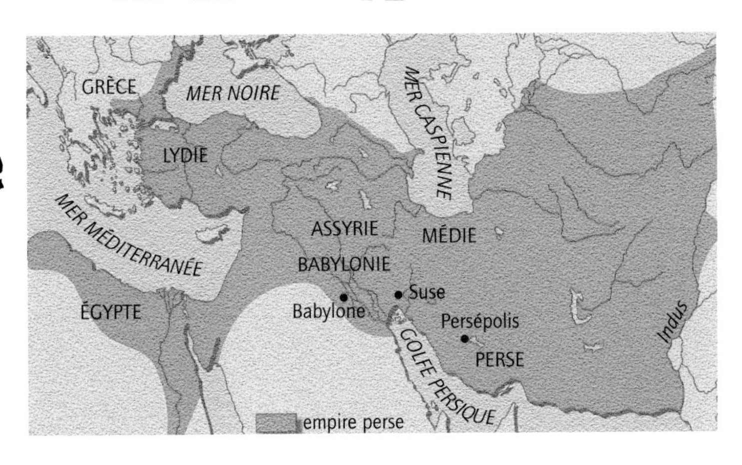

Un empire à perte de vue

En quelques années, Cyrus II se taille un empire au Moyen-Orient. Ses armées s'emparent du royaume des Mèdes, à l'est, du royaume de Lydie, en Asie Mineure, et enfin de l'empire babylonien. Un de ses successeurs, Darius Ier, se lance dans une nouvelle série de conquêtes tout aussi foudroyantes. À sa mort, en 486 av. J.-C., l'empire perse s'étend de l'Égypte à l'Indus, et de la mer Caspienne au golfe Persique. Pour la première fois, le Moyen-Orient est unifié sous l'autorité de celui qui se nomme lui-même le "Roi des Rois".

Darius Ier, le grand roi.

Des palais somptueux

Pour édifier leurs capitales et leurs palais, les rois perses font venir les artisans les plus expérimentés de tout l'empire. Ces derniers utilisent les matériaux les plus beaux : bois de cèdre du Liban, argent et cuivre de Babylonie, ivoire d'Éthiopie et pierres précieuses d'Asie centrale. Après avoir établi sa capitale à Suse, Darius Ier entreprend la construction de Persépolis, une autre capitale encore plus prestigieuse. Dans son palais, la cérémonie du Nouvel An réunit chaque année

Un escalier imposant précède l'entrée du palais de Persépolis, résidence royale.

Les archers de la garde royale sont vêtus de leur tenue de parade.

les représentants des peuples soumis, chargés de présents. Ils montent avec solennité l'escalier monumental qui mène à la salle d'audience pouvant contenir 10 000 personnes. À proximité est entreposé le trésor royal : une masse d'or et d'argent de 4 500 tonnes !

Des gardes immortels

Le roi de Perse était entouré en permanence d'une impressionnante garde rapprochée composée de 10 000 hommes, prêts à tout pour assurer la protection de leur souverain. Lorsque l'un d'eux mourait, il était immédiatement remplacé. Si bien qu'ils étaient toujours le même nombre. C'est la raison pour laquelle ils étaient surnommés les "Immortels".

Très organisés, ces Perses

Un empire si vaste n'aurait jamais pu durer deux siècles s'il n'avait pas été bien organisé. Parmi les grandes familles nobles, les rois perses recrutent des satrapes chargés, dans chaque province, de maintenir l'ordre, de lever les troupes et de prélever les impôts. Un réseau de routes royales relie les grandes villes. Les messagers du roi, grâce à un système de relais, assurent les communications. La monnaie en or, le darique, facilite les échanges. Enfin, la paix est préservée grâce à l'intégration des populations vaincues et le maintien de leur culture. Celles-ci peuvent continuer à parler leur langue et à pratiquer leur religion.
Mais cet empire, trop immense, est moins puissant qu'il n'y paraît. Au IVe siècle av. J.-C., il se heurte à la puissance des Grecs puis s'écroule, conquis par Alexandre le Grand.

Les peuples soumis apportent en procession leur tribut au roi et lui rendent hommage.

Des peintres égyptiens ont représenté l'arrivée dans leur pays d'un groupe de nomades, probablement les Hébreux.

Les Hébreux à la recherche d'une terre

Ce petit peuple de nomades du Moyen-Orient se déplace au cours du IIe millénaire avant notre ère entre la Mésopotamie et l'Égypte. Il se différencie de tous les autres peuples par sa religion et sa croyance en un Dieu unique. Son histoire nous est transmise par la Bible.

Les Hébreux sont, à l'origine, des pasteurs nomades vivant de l'élevage de moutons et de chèvres. Ils se déplacent en quête de pâturages.

De la liberté à l'esclavage

L'histoire de ce peuple commence vers 1800 av. J.-C. à Ur en Mésopotamie. Là, un chef de tribu, nommé Abraham, aurait quitté la région, sur l'ordre de Dieu, pour s'installer en Canaan, l'actuelle Palestine. Mais ses descendants n'y restent pas longtemps. Poussés par la famine, ils se mettent en quête de nouvelles terres et se dirigent vers l'Égypte où le blé abonde. Vers 1650 av. J.-C., ils s'établissent à l'est du delta du Nil où ils connaissent paix et prospérité pendant plus de trois cents ans. Mais les pharaons d'une nouvelle dynastie les réduisent en esclavage au XIVe siècle av. J.-C. Maltraités mais soudés entre eux, les Hébreux décident de regagner le sol de leurs ancêtres : la Terre promise par Dieu en échange de leur fidélité.

Une longue errance

Moïse, le fils d'un chef de tribu hébreu, prend la tête de cette nouvelle migration. Quand le pharaon accepte de les laisser partir vers 1270 av. J.-C., les Hébreux franchissent la mer Rouge puis s'enfoncent dans les solitudes du désert du Sinaï. Au cours d'un exode qui dure quarante ans, Dieu renouvelle avec le peuple hébreu l'Alliance conclue auparavant avec Abraham. Au sommet du mont Horeb, il donne à Moïse les tables de la Loi où sont gravés les dix commandements auxquels le peuple devra obéir. Ces tables sont placées dans un coffre, l'arche d'Alliance, qui est transporté jusqu'en Terre promise. Lorsque les Hébreux arrivent aux frontières de Canaan, leur pays est occupé par les Cananéens et les Philistins. Deux siècles leur seront nécessaires pour le conquérir.

La Bible et l'Histoire

L'archéologie et les écrits relatifs à d'autres peuples de l'Antiquité permettent de confirmer certains aspects du récit biblique. Ainsi, le déplacement d'Abraham depuis Ur jusqu'en Canaan correspond aux itinéraires des caravanes parcourant le désert de cette région. Puis, au XVIIe siècle av. J.-C., l'affaiblissement du pouvoir des pharaons facilite l'installation des Hébreux en Égypte. Leur exode se situe entre 1270 et 1209 av. J.-C., pendant le règne des pharaons Ramsès II et Mérenptah. Néanmoins, de grandes interrogations subsistent car la Bible – l'unique source de renseignements sur les Hébreux de cette lointaine époque – n'est pas un livre d'histoire. Elle est un ensemble de récits d'ordre religieux.

Une place à part dans l'Histoire

Les Hébreux n'ont pas réalisé de grandes conquêtes ni bâti d'empire, mais leur croyance basée sur un Dieu unique inspire les chrétiens et les musulmans. Leur livre, la Bible, est le texte sacré à la fois des juifs (les descendants des Hébreux) et des chrétiens. Pour les musulmans, il est une source d'inspiration.

Canaan ou Terre promise, « un pays de lait et de miel », comme l'appelle la Bible.

Moïse et les tables de la Loi.

Un nouveau royaume : Israël

Après la rude épreuve du désert, les Hébreux connaissent celle de la conquête longue et difficile du pays de Canaan. Puis, fixés sur leur terre, ils changent de mode de vie et organisent leur nouvel État : Israël.

Douze tribus sur le pied de guerre

Parvenus sur le sol de leurs ancêtres, les Hébreux se transforment peu à peu de nomades en agriculteurs. Ils s'organisent en douze tribus dirigées par les Juges, tels Samson, Gédéon ou Samuel. Vers 1030 av. J.-C., la menace des Philistins, un peuple dangereux installé sur la plaine côtière, pousse les Hébreux à se donner un roi unique, Saül. À la mort de celui-ci, David – un simple berger à l'origine, devenu un chef de guerre redoutable – parvient à s'imposer auprès de toutes les tribus. Il inflige une défaite définitive aux Philistins et réussit à faire reculer les peuples voisins.

Grâce à la ruse, le jeune David triomphe du géant Goliath à la force invincible.

Guerrier, poète et roi

Avant d'être roi, David s'illustre sur les champs de bataille. La Bible raconte comment il affronte le Philistin Goliath qui sème la terreur avec sa taille gigantesque, son armure et sa lance immense. Parmi les Hébreux, seul David ose défier le colosse qu'il tue avec une fronde. Roi et fondateur du premier État hébreu, David bénéficie d'un grand prestige, même si sa conduite n'est pas irréprochable. Ainsi, pour épouser la belle Bethsabée, il fait mourir son mari au cours d'une bataille. De cette union naît Salomon. Poète et musicien, David aurait composé des poèmes religieux, les psaumes regroupés dans la Bible, dans lesquels il célèbre la gloire de son Dieu.

Un âge d'or pour Israël

Pendant le règne de David (1010-970 av. J.-C.), la conquête du pays de Canaan est définitivement achevée avec la prise de la forteresse de Sion où le roi installe sa capitale, Jérusalem. Il y fait élever un palais où est transportée l'arche d'Alliance, symbole de l'union des tribus d'Israël.

L'étoile à six branches, ou étoile de David, est l'un des symboles du judaïsme. Elle figure aujourd'hui sur le drapeau israélien.

Seul le grand prêtre peut pénétrer dans la partie la plus sacrée du Temple de Jérusalem qui abrite l'arche d'Alliance contenant les tables de la Loi.

Son fils Salomon lui succède. Son règne (970-930 av. J.-C.) marque une période de paix et de prospérité pendant laquelle le pouvoir royal s'organise, appuyé par une administration et une armée permanentes. À Jérusalem, son palais a l'éclat d'une cour orientale et dans le Temple qu'il fait construire est déposée l'arche d'Alliance.

Salomon est célèbre pour sa grande sagesse. Devant deux femmes qui prétendent être la mère d'un même enfant, il ordonne la mort du bébé. La vraie mère, préférant laisser son fils à l'autre femme plutôt que de le voir mourir, est ainsi découverte.

Le temps des divisions

À la mort de Salomon, l'unité de l'État d'Israël se brise brutalement. Les dix tribus du Nord acceptent mal de payer de lourds impôts et ne reconnaissent plus le Temple de Jérusalem comme l'unique lieu de culte. Elles créent le royaume du Nord, ou d'Israël. Les deux autres tribus forment le petit royaume du Sud, ou de Juda, qui conserve Jérusalem comme capitale. Les deux territoires séparés se déchirent. Affaiblis, les Hébreux ne peuvent s'opposer aux ambitions de leurs voisins. En 721 av. J.-C., les Assyriens s'emparent du royaume d'Israël qui disparaît le premier. À son tour, en 587 av. J.-C., le royaume de Juda est conquis par Nabuchodonosor, roi de Babylone.

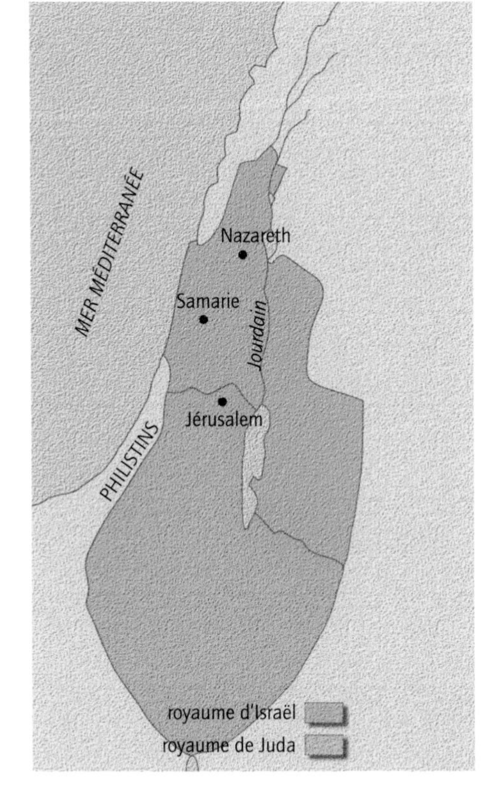

Le rouleau de la Torah, première partie de la Bible, est trop sacré pour qu'on puisse le toucher. Il est lu à l'aide d'une main de lecture.

« Un seul Dieu tu adoreras »

Alors que tous les autres peuples de l'Antiquité honorent plusieurs dieux, les Hébreux sont les premiers à croire en un Dieu unique, Yahvé. Le judaïsme, basé sur cette croyance, est la première religion monothéiste de l'Histoire.

La Bible

Le judaïsme repose sur la Bible composée de vingt-quatre livres écrits en hébreu et répartis en trois parties regroupant des récits, des prières et des recueils de loi. La partie la plus importante est la Torah. Elle raconte la création du monde, le début de l'histoire des Hébreux, et contient aussi les dix commandements. Ce n'est qu'au Ier siècle ap. J.-C. que tous les textes de la Bible sont définitivement réunis, après avoir été transmis par oral pendant des siècles. Les Hébreux sont surnommés le "peuple du Livre" car la source de leur foi se trouve dans ces textes.

Le chandelier à sept branches, ou ménorah, placé dans le Temple.

Dieu pour meilleur allié

Les Hébreux vénèrent Yahvé, Dieu unique, tout-puissant, créateur du monde. Il est d'une telle perfection qu'il est interdit de le représenter sous aucune forme. Selon la Bible, Dieu a choisi le peuple hébreu parmi toutes les autres nations, pour le protéger et le guider. Il a conclu avec lui une Alliance par l'intermédiaire d'Abraham puis de Moïse. En échange, il exige une grande fidélité et l'obéissance aux commandements donnés à Moïse et inscrits sur les tables de la Loi. Pendant les temps difficiles de leur histoire, les Hébreux ont besoin d'espoir. Des prophètes, les porte-parole de Dieu, leur rappellent leurs devoirs et les réconfortent aussi en leur annonçant la venue d'un Messie, un envoyé de Dieu qui les sauvera. À ceux qui auront fait le bien sur la terre, ils promettent une autre vie après la mort.

Du dernier Temple de Jérusalem, il ne reste aujourd'hui qu'un mur, lieu de ralliement des juifs du monde entier.

Lors de la fête des Tentes, à l'automne, chaque famille s'installe sous une petite cabane de branchages durant sept jours.

Tous tournés vers Yahvé

Le centre unique du culte est le Temple de Jérusalem. C'est la maison de Yahvé abritant l'arche d'Alliance. Le service du culte est assuré par des prêtres, appelés lévites, qui pratiquent des sacrifices d'animaux.

La vie religieuse est ponctuée de prières et de fêtes rappelant les grands moments de l'histoire du peuple hébreu. La Pâque fait revivre la sortie d'Égypte, la Pentecôte célèbre la remise des tables de la Loi à Moïse, et la fête des Tabernacles, ou des Tentes, évoque la vie nomade des premiers Hébreux. Après la destruction du deuxième Temple en 70 ap. J.-C., les fidèles se réunissent à la synagogue pour célébrer le shabbat, jour de repos consacré à la prière.

Les manuscrits de la mer Morte

Aucun texte d'origine de la Bible n'a été retrouvé. Les plus anciens manuscrits datent du IIe siècle av. J.-C. et ne sont que des copies que l'on multipliait à cette époque pour les réunions religieuses. Ils ont été découverts par hasard en 1947, par des bergers qui s'étaient aventurés au fond de grottes surplombant la mer Morte pour rechercher des bêtes de leur troupeau. Les parchemins étaient roulés dans des jarres, des récipients en terre cuite, et ils dormaient là depuis qu'on les y avait cachés au moment de la guerre contre les Romains, vers 70 ap. J.-C.

Jour après jour...

Comme tous les peuples méditerranéens de l'Antiquité, les Hébreux mènent une vie simple. La plupart vivent du travail de la terre et habitent dans des villages à la campagne. La religion règle leur vie quotidienne.

Un menu simple

Les repas, à midi et le soir, se prennent le plus souvent assis, sur des chaises basses ou par terre. Au début et à la fin, les convives remercient Dieu. Les céréales constituent la base de la nourriture. La viande et le poisson sont réservés aux repas du shabbat et aux jours de fête. Dans chaque famille, on tue alors une bête de son troupeau : un mouton ou un agneau. À Jérusalem, la viande provient des animaux offerts en sacrifice au Temple.

À la maison ou à l'école ?

Les filles doivent rester auprès de leur mère jusqu'à ce qu'elles se marient, vers l'âge de 14 ans. Elles s'occupent du ménage, filent la laine et la tissent sur des métiers à tisser. À la différence des garçons - qui vont à l'école située dans la synagogue où leur est donnée une éducation basée sur la Torah -, elles ne reçoivent aucun enseignement.

Propre de la tête aux pieds

La Bible exige que l'homme soit en état de pureté. Il doit se laver les mains et les pieds après le lever, à l'arrivée d'un invité et avant le coucher. Le vendredi, avant le shabbat, il lui faut se baigner entièrement dans de l'eau courante ou dans un bassin rituel, appelé mikve, qui existe dans la plupart des maisons des villes.

Au travail !

L'orfèvrerie, la fabrication des sandales, le travail du bois et du métal sont considérés comme des métiers nobles. Avec le forgeron et le potier, le charpentier est présent dans chaque village. Il fabrique les charpentes des toits et répare les charrues et les roues. Il travaille souvent près du forgeron qui façonne ses outils avec le fer, le bronze et le cuivre. Les Hébreux sont parmi les premiers à fondre le cuivre dans des fours pour l'utiliser comme métal.

Terrasse pour tous

Les maisons sont bâties en briques autour d'une cour centrale. La plupart d'entre elles ont des toits en terrasse, légèrement inclinés pour faciliter l'écoulement des eaux de pluie. C'est là que les enfants aiment jouer et que les habitants s'installent au crépuscule pour trouver de la fraîcheur et dormir les nuits d'été. Les murs des habitations sont percés de petites ouvertures sans vitre qui laissent pénétrer la lumière.

Au temps des Romains

À partir de 63 av. J.-C., les Romains sont les nouveaux maîtres de la Palestine où vivent les Juifs, les descendants des Hébreux. Ceux-ci acceptent mal cette nouvelle domination et restent fidèles à leur religion. Beaucoup espèrent la venue du Messie annoncée par les prophètes et qui, selon eux, les libérera et rétablira le royaume d'Israël.

Des siècles d'invasion

Depuis 721 av. J.-C., l'ancien royaume d'Israël ne cesse d'être envahi. Après les Assyriens, les Babyloniens déportent une partie de la population à Babylone. Cyrus, le roi des Perses devenu maître de l'empire babylonien, autorise les Hébreux à rentrer dans leur pays en 538 av. J.-C. et à reconstruire le Temple de Jérusalem. Mais l'ancien royaume ne retrouve jamais son indépendance et continue d'être un champ de bataille disputé. Après les Grecs, les Romains l'occupent et l'appellent la Palestine. Cette longue série de troubles fait fuir de nombreux Hébreux qui s'établissent dans les villes autour du Bassin méditerranéen et en Orient : cette dispersion s'appelle la Diaspora.

Le second Temple de Jérusalem est construit à partir de 520 av. J.-C. et achevé par le roi Hérode vers l'an 20 av. J.-C. Il s'élève au centre d'une vaste esplanade bordée de portiques.

Jésus de Nazareth

C'est dans ce contexte que naît Jésus vers l'an 4 avant notre ère. Ses parents, Marie et Joseph, de condition modeste, appartiennent à la descendance du roi David. Jésus passe son enfance à Nazareth où il devient charpentier. Vers l'âge de 30 ans, il prêche la "Bonne nouvelle" en se disant "Fils de Dieu", et il annonce la venue prochaine du règne de son Père. Entouré de ses disciples de plus en plus nombreux, il parcourt la Palestine et soulève l'enthousiasme des foules qui le reconnaissent comme le Messie, l'envoyé de Dieu. Mais il suscite aussi l'opposition des grands chefs religieux qui le dénoncent aux Romains. Après avoir été condamné, Jésus est mis à mort sur une croix. Ses disciples affirment qu'il est ressuscité trois jours plus tard. Ils partent ensuite prêcher son enseignement, qui devient la base d'une nouvelle religion : le christianisme.

Au cours de sa vie publique, Jésus prêche et attire à lui de nombreux disciples.

Ce chandelier à sept branches est rapporté à Rome par les soldats romains qui détruisent le Temple en 70.

Un peuple en révolte

La mort de Jésus passe presque inaperçue. Considéré comme un agitateur politique, il subit le même châtiment que les milliers de Juifs révoltés contre l'occupation romaine. Celle-ci se durcit au Ier siècle de notre ère et provoque la première révolte qui s'achève en 70 par le siège de Jérusalem et la destruction du Temple. En 132, après l'écrasement d'une ultime révolte, les Juifs doivent quitter Jérusalem qui leur est interdite et prendre le chemin d'un nouvel exil. Reste la fidélité au culte de leur Dieu qui les aide à survivre.

Se rendre ? Jamais !

La forteresse de Massada couronnant un piton rocheux au-dessus de la mer Morte est le dernier îlot de résistance des Juifs révoltés contre les Romains. De 70 à 75, 960 personnes s'y réfugient, qui préféreront se suicider plutôt que de se rendre. Au cours de fouilles menées vers 1960, on a retrouvé des morceaux de poterie marqués chacun d'un nom. On pense qu'ils ont été utilisés par les derniers survivants pour déterminer l'ordre dans lequel ils se donneraient la mort. Cet événement a fait de Massada le symbole du patriotisme juif.

L'Égypte et le Nil

Il y a cinq mille ans, une brillante civilisation s'épanouit dans le Nord-Est de l'Afrique, en Égypte. Là, s'étend un immense désert brûlé par le soleil. Mais un long fleuve, le Nil, le traverse et apporte la vie sur la mince bande de terre longeant chaque rive où poussent les cultures et où s'élèvent temples et palais.

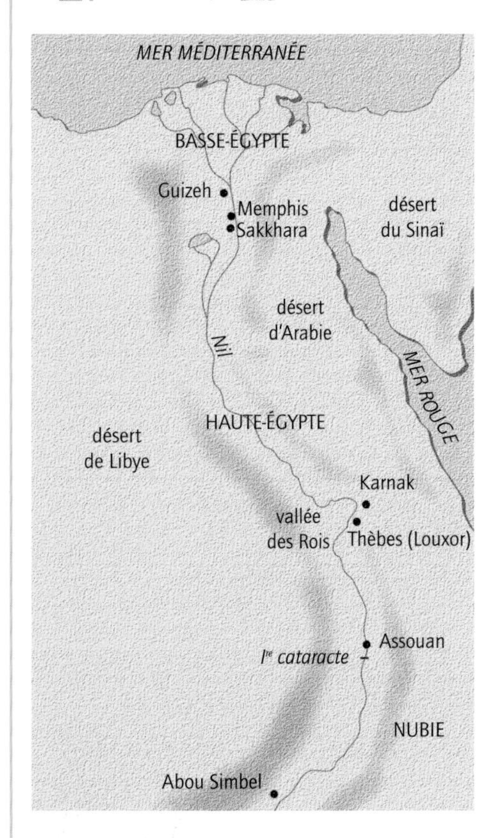

Impossible, dites-vous ?

Pendant des siècles, des centaines d'expéditions ont été lancées pour rechercher les sources du Nil qui restaient introuvables. Il a fallu attendre 1862 pour qu'elles soient enfin localisées. Déjà, dans l'Antiquité, on avait l'habitude d'employer l'expression « chercher les sources du Nil » lorsqu'on parlait d'un projet irréalisable. Maintenant, tu dirais « chercher une aiguille dans une botte de foin » !

Le Nil : quel géant !

Ce fleuve, le plus long du monde, naît au nord du lac Tanganyika, au Burundi. Les pluies abondantes lui donnent assez d'eau pour traverser les montagnes de l'Est équatorial, les forêts tropicales et le désert. En Égypte, il serpente entre les falaises rocheuses, puis il s'élargit et se divise en de nombreux bras à travers un delta marécageux. Après une course de 6 671 km, il se jette dans la mer Méditerranée.
À l'est et à l'ouest de la vallée du Nil, l'immense désert n'est parcouru que par des caravanes et des chasseurs de lions et d'antilopes.

Hippopotame

La crue bienfaisante

Ibis

Chaque été, le Nil est gonflé par les pluies tropicales tombant sur l'Est africain. Il déborde et inonde ses berges pendant trois mois. C'est la crue. En se retirant, le fleuve laisse sur les terres une fine pellicule de limon noir, une boue qui rend le sol fertile. Ainsi, l'Égypte est l'un des rares pays capables de produire suffisamment de céréales pour nourrir tous ses habitants. Des réserves sont même constituées en prévision des années maigres, lorsque la crue trop faible provoque la famine.

Un ruban de vie

La vie du pays dépend du fleuve et s'organise au rythme de la crue. C'est elle qui commande le calendrier. L'année comprend trois saisons de quatre mois : celle de l'inondation, celle allant des semailles au retrait des eaux, et celle des récoltes. Pour retenir l'eau de la crue, les Égyptiens creusent des canaux et élèvent des digues à travers les champs. Le fleuve est une voie de communication sillonnée en tous sens par des bateaux à voile ou à rames. Il regorge de poissons, et les oies, les ibis et les canards sauvages pullulent dans les marécages du delta où poussent en abondance les papyrus. Ces plantes servent à fabriquer les sandales et les rouleaux de papier pour écrire.

Papyrus et nénuphar

Miracle !

Pour les Égyptiens, la crue tient du miracle et ne peut être l'œuvre que d'un dieu : Hapy, qui réside dans une caverne au sud de l'Égypte, là où le cours du fleuve se resserre. Selon eux, il bloque l'eau du Nil avec son pied, mais chaque année, vers la mi-juin, il soulève sa sandale pour laisser échapper la crue. Les Égyptiens le remercient alors en jetant dans le fleuve des offrandes : pâtisseries, fruits, animaux sacrifiés, statuettes de femmes…

Vingt siècles de puissance

Pendant deux mille ans, l'Égypte connaît une histoire brillante rythmée par des périodes de grandeur entrecoupées de troubles et de désordres. Sous l'autorité des pharaons, un État fort et organisé se développe. La position de carrefour et la richesse du pays lui permettent de s'agrandir, mais attirent aussi les convoitises.

La couronne et la fausse barbe sont deux symboles de la royauté.

À l'aube de l'Histoire

Vers 8000 av. J.-C., des hommes se fixent dans la vallée du Nil où ils fondent des villages. Des provinces indépendantes apparaissent, puis deux royaumes distincts : la Basse-Égypte, dans le delta, et la Haute-Égypte, dans le Sud. Vers 3100 av. J.-C., les princes du Sud font la conquête du Nord. Ils prennent alors le titre de pharaons.

Khéops, un des pharaons de l'Ancien Empire.

Des empires brillants

L'Égypte connaît trois grandes périodes d'unité pendant lesquelles le pays est puissant et étend sa domination :

• À l'Ancien Empire (2700-2200 av. J.-C.), l'État s'organise et se renforce. Les pharaons, tels Khéops, Khéphren ou Mykérinos – qui ont fait construire les magnifiques pyramides de Guizeh – gouvernent à Memphis. Ils sont assez puissants pour conquérir la Nubie, au sud, et la région du Sinaï, à l'est. Mais les troubles qui éclatent brisent l'unité du pays.

• Sous le Moyen Empire (2046-1710 av. J.-C.), l'Égypte est réunifiée sous l'autorité des rois de Thèbes, la nouvelle capitale. De grands travaux sont entrepris et des fortifications protègent le pays. Mais elles n'empêchent pas l'invasion des Hyksôs venus du nord-est.

• Au Nouvel Empire (1550-1070 av. J.-C.), l'Égypte connaît une prospérité exceptionnelle. Elle est gouvernée par de grands pharaons comme Aménophis III ou Ramsès II qui conquièrent au nord-est le pays de Canaan. Mais les attaques de pirates venus des côtes de l'Asie Mineure, les Peuples de la Mer, ouvrent une nouvelle période de désordres.

Aménophis III (1388-1351 av. J.-C.) règne à l'époque la plus brillante de l'Égypte. L'art est d'un très grand raffinement.

Un long déclin

Au Ier millénaire av. J.-C., l'Égypte est conquise tour à tour par les Soudanais, les Perses et les Grecs. Les princes de Saïs restaurent son unité au VIIe siècle av. J.-C., mais elle est de courte durée. En 30 av. J.-C., le pays devient une province de l'empire romain. Les coutumes et les croyances des Égyptiens se maintiennent tout en se transformant lentement au fil des siècles.

Un célèbre inconnu

On ne sait presque rien de Khéops, ce grand pharaon qui régna vingt-trois ans, de 2589 à 2566 av. J.-C. Son nom reste cependant lié au plus gigantesque monument d'Égypte qu'il a fait construire pour abriter son tombeau : la grande pyramide de Guizeh, haute de 146 m. Khéops est ainsi devenu le père de la plus ancienne des Sept Merveilles du monde, la seule qui soit d'ailleurs encore debout (*voir p. 78*).

L'armée est surtout composée de fantassins, des soldats allant à pied. Ils sont recrutés parmi les Égyptiens et d'anciens ennemis comme les Nubiens.

La reine-pharaon

À la mort de son mari Thoutmosis II, Hatshepsout dirige l'Égypte jusqu'à ce que son neveu soit en âge de régner. Mais rongée par l'ambition, elle se fait alors couronner pharaon. Première femme à porter ce titre, elle gouvernera le pays d'une main de fer pendant vingt et un ans, de 1479 à 1458 av. J.-C.

Le pharaon, roi tout-puissant

Devant lui, ses sujets se prosternent jusqu'à terre. Considéré comme un dieu parmi les hommes, il règne en maître absolu sur le royaume d'ancienne Égypte et ses pouvoirs sont immenses.

et il est à la fois chef d'État, chef religieux et commandant des armées. Les Égyptiens pensent que les dieux l'ont choisi pour servir d'intermédiaire entre eux et les hommes. À sa mort, il part les rejoindre pour vivre auprès d'eux.

Maître en son pays

Le jour de son couronnement, le pharaon reçoit les insignes de la royauté. Il tient dans ses mains le sceptre et le fléau, symboles de sa puissance. Sur son front, il porte l'uræus qui représente un cobra dressé pour repousser l'ennemi. À son menton, il arbore une fausse barbe. Sa double couronne, ou pschent, montre qu'il est le souverain de la Haute et de la Basse-Égypte. Son pouvoir est absolu. Il possède toutes les terres du royaume

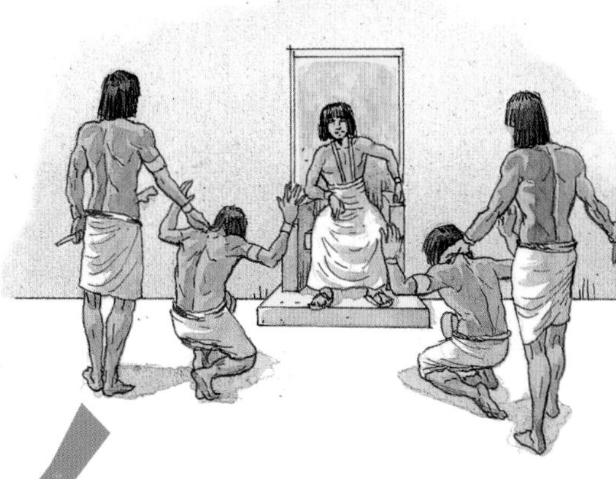

Rendre la justice est la tâche la plus importante du vizir. Ses pouvoirs sont considérables.

Les hommes de pharaon

Une armée de fonctionnaires obéit aux ordres du pharaon qui gouverne avec l'aide du vizir – sorte de Premier ministre –, et avec celle des membres de sa famille, des gouverneurs de provinces, des grands prêtres et des responsables de l'administration. La puissance de tous ces personnages dépend du pharaon qui les récompense en leur offrant des titres ou des terres. Ils mènent une vie raffinée dans leurs vastes demeures ornées de bassins et entourées de magnifiques jardins. Chasses dans le delta, banquets et fêtes rythment leurs journées.

Le mystère des hiéroglyphes

Ce n'est qu'en 1822 qu'un Français, Jean-François Champollion, parvient à déchiffrer l'écriture égyptienne tombée dans l'oubli depuis le IVe siècle. Gravés dans la pierre ou écrits sur des rouleaux de papyrus, les hiéroglyphes sont formés d'une multitude de petits dessins. Pendant des années de travail, Champollion les étudie. Grâce à son obstination et à son talent (à 16 ans, il connaît déjà neuf langues !), il découvre qu'ils représentent à la fois des idées et des sons.

Ramsès II, un grand homme

Ce pharaon était grand en taille pour son époque : 1,75 m, comme le prouve sa momie. Il était grand aussi en valeur. Bâtisseur infatigable, il a édifié le gigantesque ensemble du Ramesseum dédié au dieu Amon, il a érigé les temples d'Abou Simbel ornés de statues colossales, et poursuivi la construction des temples de Louxor et de Karnak. Il a également fondé une grande famille. Ses innombrables épouses (au moins quinze) lui ont donné plus de cent enfants ! Son règne (1279-1213 av. J.-C.) fut l'un des plus longs et des plus riches de l'histoire de l'Égypte : mort à 92 ans, il a régné soixante-six ans.

Indispensables scribes

Ils connaissent les hiéroglyphes, l'écriture égyptienne. Ce sont donc eux qui tiennent les comptes, recopient les règlements et surveillent leur application.
Les fonctionnaires sont recrutés parmi eux.
Dans les provinces, ils lèvent les impôts et dirigent l'administration locale. Leur pouvoir est important car la grande majorité des Égyptiens ne savent ni lire ni écrire.
Des inspecteurs royaux les contrôlent cependant.

Le scribe au travail est assis en tailleur, le rouleau de papyrus déployé, prêt à écrire sous la dictée de son supérieur.

Dans un village, au fil des jours

La plupart des habitants, vêtus de pagne et marchant pieds nus, travaillent aux champs dès que la crue se retire. Regroupés dans des villages, ils habitent des maisons au confort sommaire, construites en briques de boue séchée. Leur vie, comme celle des artisans, est dure, mais ils connaissent rarement la faim.

90 % des Égyptiens sont paysans

Les paysans dépendent de l'État car c'est lui qui possède la terre. Il organise le système savant de l'irrigation visant à fournir l'eau aux cultures, et il prélève une partie des récoltes pour le paiement des impôts. En dépit de leur outillage peu perfectionné, les paysans savent tirer mille ressources de la vallée. Ils cultivent surtout des céréales, en particulier le blé et l'orge. Avec le blé, ils confectionnent des galettes, la base de leur alimentation ; et avec l'orge, ils font de la bière, leur boisson préférée. Dans leurs petits carrés de jardin, ils élèvent des canards, des oies, des vaches, des chèvres et des moutons, et font pousser des légumes (salades, pois chiches, courges, poireaux, oignons) à l'ombre des arbres fruitiers. Quand les champs sont inondés, ils ne se reposent pas pour autant car ils sont réquisitionnés pour travailler sur les chantiers du pharaon.

Artisans et artistes

Les artisans égyptiens ont des spécialités très variées. Avec des matériaux simples comme l'argile ou l'osier, ils fabriquent les outils et les ustensiles nécessaires à la vie quotidienne. Mais le bois manque et le travail du fer n'est pas encore répandu. Les meilleurs ouvriers travaillent dans les ateliers royaux et dans ceux des grands temples. Avec beaucoup d'art et de raffinement, ils façonnent la pierre, le cuivre, l'ivoire, l'or et l'argent pour fabriquer des objets souvent destinés aux tombeaux des plus riches. Les scribes les paient en nature car la monnaie n'existe pas. Les échanges se font selon le système du troc.

Quelle activité sur le Nil !

Les bateaux vont et viennent en tous sens. Les plus gros, poussés par leurs voiles rectangulaires, se dirigent vers le delta, chargés de lourdes marchandises. Des bacs traversent le fleuve, et de frêles embarcations faites de bottes de papyrus longent les berges. À leur bord, des pêcheurs s'apprêtent à lancer les filets. Mais ils doivent se méfier des bancs de sable, des crocodiles et des hippopotames, si prompts à faire chavirer les bateaux !

Les eaux du Nil sont poissonneuses. Au filet ou à la ligne, les pêcheurs prennent anguilles, carpes, mulets et tanches. Avant d'être mangés, les poissons sont vidés et séchés au soleil.

Faites vos jeux...

Comme nous aujourd'hui, les enfants égyptiens jouent au chat et à saute-mouton. Les garçons aiment faire la course et les filles danser. Ils possèdent aussi des animaux articulés, parfois montés sur des roulettes, ainsi que des poupées en bois, des balles remplies de graines ou de billes, et des toupies. Les adultes préfèrent les jeux de société et se passionnent pour le senet, sorte de jeu de dames.

À la gloire des dieux

« Les Égyptiens sont les plus religieux des hommes » disait le Grec Hérodote. D'après leurs croyances, le Ciel et la Terre ont émergé du chaos. Ils ont engendré les autres dieux et créé l'univers. Pour que soit préservée leur force vitale, indispensable à la bonne marche du monde, les Égyptiens leur rendent un culte.

D'après la légende, Osiris est momifié par le dieu Anubis, à tête de chacal, en présence de son épouse Isis.

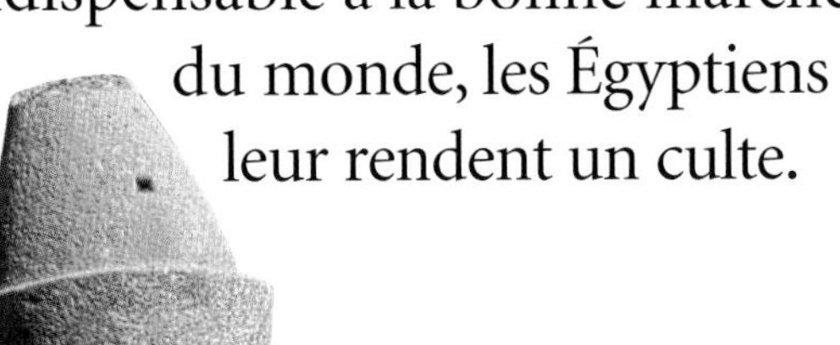

La légende d'Osiris

Le pharaon doit être le premier à assurer le culte aux dieux. Il est considéré comme le plus grand prêtre et comme une divinité vivant parmi les hommes. En effet, selon les Égyptiens, il est le descendant du premier roi, Osiris. D'après la légende, Osiris était un dieu bon, aimé de tous. Son frère, Seth, dévoré de jalousie, l'assassina et découpa son corps en quatorze morceaux qu'il dispersa dans toute l'Égypte. Isis, la femme d'Osiris, retrouva les morceaux, reconstitua le corps, l'entoura de bandelettes et ressuscita le corps de son époux. Osiris devint ainsi la première momie et le dieu des morts ; Isis, la déesse de la vie et la mère idéale. Horus, le fils d'Osiris et d'Isis, vengea son père en reprenant à Seth le trône. Il est le dieu faucon, protecteur du pharaon.

Horus, représenté avec une tête de faucon, est considéré comme l'ancêtre des pharaons.

Au cœur des temples

Un culte quotidien est rendu dans les temples, les demeures des dieux abritant leurs statues. En principe, le pharaon doit assurer ce service seul chaque jour. Comme il ne peut être présent partout à la fois, il délègue ses pouvoirs aux prêtres. Les temples sont des constructions colossales et majestueuses situées au bord du Nil. Une longue allée bordée de béliers ou de sphinx, monstres à corps de lion et à tête humaine, conduit à l'entrée monumentale encadrée d'obélisques.

Le prêtre est le serviteur du dieu. Au temple, il accomplit les rites au nom du pharaon.

L'édifice s'ouvre sur des pièces successives qui mènent à la chambre divine renfermant la statue, où seuls le pharaon et les prêtres peuvent pénétrer. Là, ils réveillent, habillent et parfument la statue habitée par le dieu qu'elle représente, et ils déposent des offrandes à ses pieds.

Les Égyptiens en prière

Le peuple participe peu à ce culte. Lors des fêtes, la statue est placée sur une barque sacrée et promenée en procession à l'intérieur et à l'extérieur du temple, mais elle reste cachée aux yeux de tous. Les Égyptiens s'adressent à leurs dieux par des prières et leur font des offrandes sur des autels installés dans leurs maisons. En remerciement d'une guérison ou d'une bonne récolte, ils gravent des inscriptions sur des stèles.

Place au rayon de soleil !

Le célèbre obélisque qu'on peut admirer place de la Concorde, à Paris, provient du temple de Louxor. Il a été dressé dans notre capitale en 1836 devant une foule de 200 000 spectateurs. Haute de 23 m, cette aiguille de pierre taillée d'un seul bloc symbolise un rayon de soleil. Elle pèse 250 tonnes ! Sa pointe pyramidale est couverte d'électrum (un alliage d'or et d'argent) et les hiéroglyphes gravés sur chacune de ses faces racontent les règnes de Ramsès II et Ramsès III. Avec ses 3 500 ans, c'est de loin le monument le plus ancien de Paris !

Procession de la barque sacrée au temple de Louxor.

Des dieux très puissants

Innombrables, ils se comptent par milliers. Chargés d'assurer l'ordre du monde, le bien-être et l'activité des hommes, ce sont des êtres supérieurs qu'aucun humain ne peut espérer égaler. Si certains dieux sont honorés dans toute l'Égypte, chaque région, chaque ville et chaque village a sa divinité particulière.

Rê
Ce dieu puissant, associé au soleil, apporte la vie sur la Terre. Il est souvent représenté sous la forme du disque solaire, mais il peut prendre des aspects différents. À l'aube, il est un scarabée qui pousse le soleil au-dessus de l'horizon. Au zénith, il se transforme en un faucon s'envolant dans le ciel. Le soir, il devient un vieillard appuyé sur sa canne. Ce dieu important est honoré particulièrement à Héliopolis.

Thot
Représenté par un corps d'homme surmonté d'une tête d'ibis ou bien par un babouin, il symbolise l'ordre et la régularité. Dieu de la lune, il fixe le calendrier. C'est lui qui a fait don aux hommes de l'écriture et des sciences, notamment des mathématiques et de la médecine. Il veille sur les lois et protège les scribes. Il est aussi le maître de la magie.

Amon-Rê
Au Nouvel Empire, Amon, divinité de la capitale Thèbes, est associé à Rê. Amon-Rê devient alors le dieu principal. Il porte sur la tête un disque solaire encadré de deux longues plumes. Sa nature, entourée de mystère, est même ignorée des autres dieux. Amon signifie "le caché".

Khnoum

Figuré sous l'aspect d'un bélier, ce dieu donne la vie. Il aurait créé l'homme avec de l'argile sur son tour de potier.

Hathor

Célébrée à Denderah où s'élève un temple en son honneur, la déesse Hathor symbolise à la fois l'amour, la joie, la danse et la musique. Elle est figurée par une vache portant un collier, ou par une femme coiffée de cornes de vache enserrant un disque solaire.

Bastet

Déesse au pouvoir bienfaisant, elle a l'apparence d'une chatte ou d'une femme à tête de chatte dont les oreilles et le museau sont ornés d'anneaux d'or. Elle préside toutes les fêtes.

Sobek

Ce dieu de l'eau et de la fertilité est représenté par un crocodile. Dans les temples qui lui sont consacrés, des crocodiles vivants étaient adorés et des prêtres avaient pour charge de les soigner. À leur mort, les reptiles étaient momifiés.

Même plus peur !

Les Égyptiens étaient très superstitieux et portaient pendues à leur cou des amulettes qui les protégeaient des mauvais sorts. Elles représentaient souvent leurs dieux préférés, des scarabées ou des symboles, comme l'œil-oudjat ou la croix de vie.

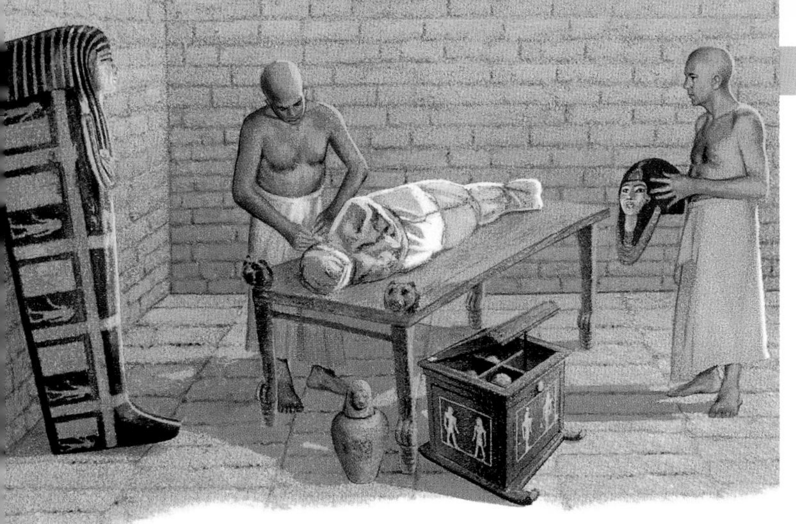

Après la mort... la vie !

Les Égyptiens aiment trop la vie pour penser qu'elle puisse s'arrêter au moment de la mort. Ils considèrent donc cette dernière comme un passage qui permet d'accéder à une autre vie, dans l'au-delà. Mais ce passage doit être accompagné de toute une série de rites.

Un corps très soigné

Afin d'assurer la survie du défunt, son corps doit être gardé intact. À l'origine, le sable du désert conservait les dépouilles. Puis, pour les plus riches, l'embaumement et la momification ont été mis au point. Les embaumeurs lavent le corps, le vident de ses entrailles, puis le font macérer dans un bain de sels qui le dessèchent. Après une quarantaine de jours, il est frictionné d'huile et rempli d'étoffes ou de sciure de bois. Le corps peut alors être enveloppé de fines bandelettes de lin. Tout en récitant des prières, les prêtres glissent entre elles des objets magiques ou des petits textes. Le rite de l'ouverture de la bouche permet à la momie de respirer et de se nourrir dans l'au-delà.

Toutes sortes de tombeaux

Le sarcophage contenant la momie est placé dans une tombe où l'on entasse tout ce dont le défunt aura besoin dans sa nouvelle vie : meubles, vaisselle, nourriture, bijoux... La majorité des Égyptiens déposent leurs morts dans des caveaux communs ou dans un simple trou creusé dans le sable. Seuls les plus puissants – les pharaons et les membres de leur entourage – reposent dans des tombeaux souvent grandioses. Ceux des premiers pharaons sont des mastabas, des édifices bas et rectangulaires en briques de terre crue abritant une chambre funéraire souterraine. Ceux des suivants sont des pyramides en pierre, percées de galeries menant à la chambre royale, au cœur de l'édifice. Les pyramides les plus impressionnantes s'élèvent

Mastaba

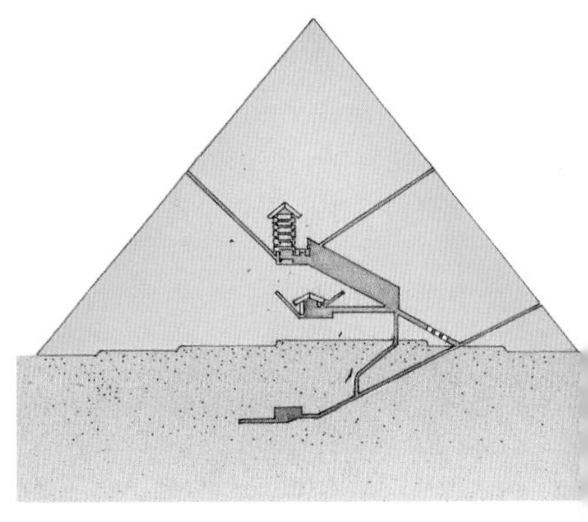

Pyramide

Tombe de la vallée des Rois

près de Memphis, sur le plateau de Guizeh. Plus tard, les tombeaux sont creusés dans la montagne de la vallée des Rois, face à Thèbes. Leur entrée est cachée pour empêcher les voleurs d'y accéder.

Le jugement d'Osiris

Après la mort, le défunt commence son voyage vers le royaume des morts. Il se présente devant le tribunal d'Osiris. Son cœur est pesé sur une balance. S'il est plus léger que la plume posée sur l'autre plateau, il a droit à la vie éternelle. Sinon, il est dévoré par un monstre et disparaît pour toujours.

Pilleurs de tombes

La splendeur des trésors renfermés dans les tombeaux des pharaons a très vite attiré la convoitise des voleurs, malgré les précautions prises par les architectes. L'entrée des pyramides restait secrète et plusieurs chambres funéraires étaient construites, souvent une vraie et deux fausses. Dans la vallée des Rois, des soldats veillaient jour et nuit. Peine perdue ! La plupart des tombeaux, pourtant cachés, ont été pillés, sauf celui de Toutankhamon qui contenait plus de 4 000 objets d'une valeur inestimable. Si ce pharaon au règne très bref était entouré de telles merveilles, qu'en était-il des rois illustres ? On se prend à rêver…

Masque d'or recouvrant la tête de la momie de Toutankhamon.

Le mort, à droite, est tenu par Maât, la déesse de la vérité. Son cœur est pesé par Horus et Anubis. Thot prend des notes pour Osiris.

Un chantier pharaonique

Élevées entre 2680 et 1700 av. J.-C., les pyramides abritaient les tombeaux des pharaons. À l'époque de leur construction, les Égyptiens ne connaissaient encore ni le fer ni la roue. Ils n'avaient pas de chevaux et le bois était rare. Comment ont-ils pu ériger ces gigantesques monuments ?

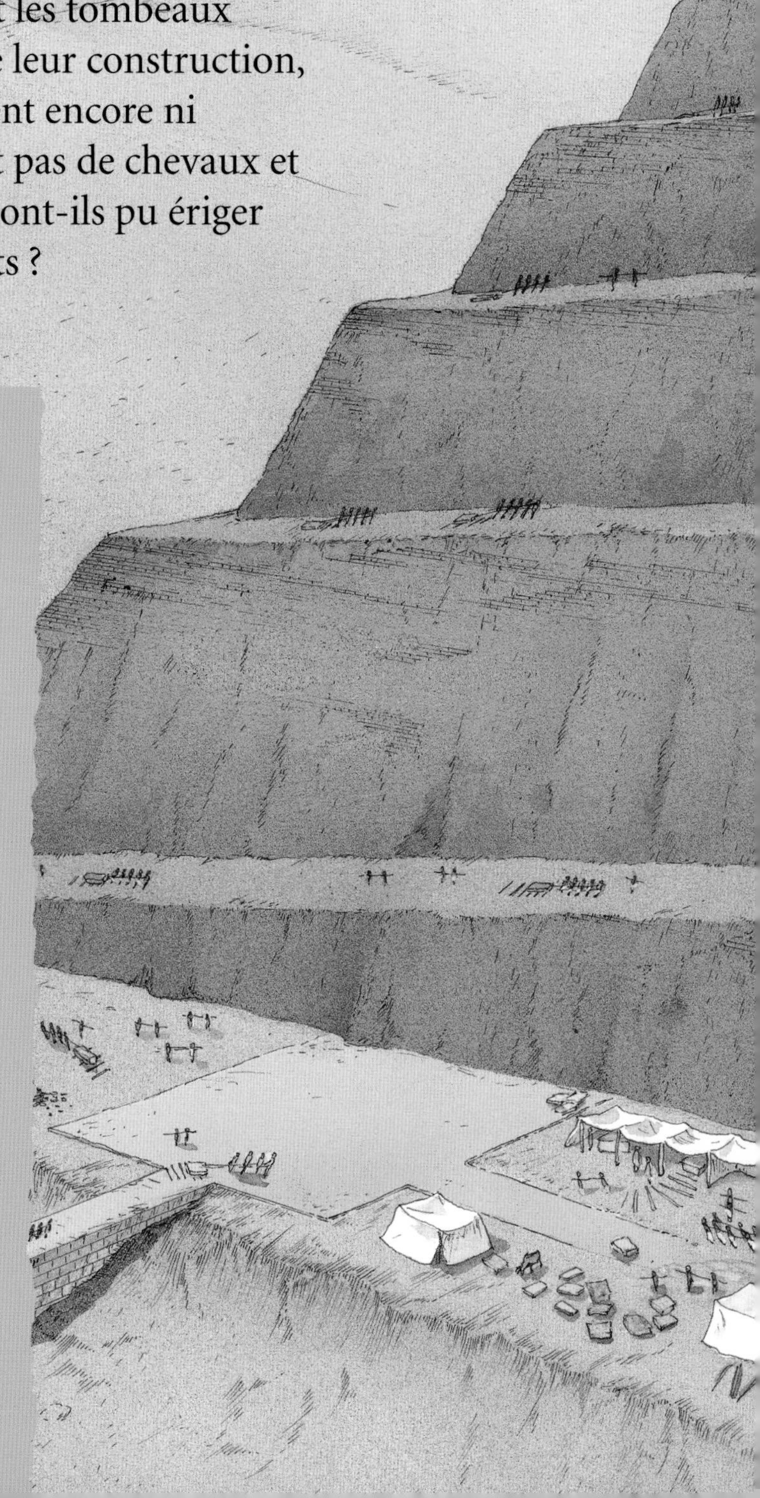

Les pyramides se dressent sur la rive gauche du Nil car c'est le domaine des morts, là où le soleil se couche. Leur emplacement était soigneusement choisi. Il devait être situé au-dessus de la zone inondée par la crue du fleuve. Pour les construire, les architectes utilisaient différentes pierres : la roche calcaire trouvée sur place, du calcaire fin et du granit provenant d'autres carrières. Les pierres taillées étaient hissées une à une sur des traîneaux, le long d'une rampe en briques crues. On ne sait cependant pas comment était disposée cette rampe. Les archéologues avancent des hypothèses, mais en l'absence de documents, ils n'ont aucune preuve. La rampe montait-elle en spirale autour de l'édifice, ou était-elle perpendiculaire à l'une de ses faces ? Mystère ! Pour finir, le monument était coiffé d'un pyramidion en granit recouvert de feuilles d'or. La rampe détruite, la pyramide apparaissait alors dans toute sa splendeur !

Drôles de calculs

En découvrant les pyramides de Guizeh en 1798, le général Bonaparte fit faire un calcul. Avec leurs pierres, tu pourrais construire un mur de 3 m de haut autour de la France.
Les archéologues ont fait une autre opération : pour transporter ces pierres, il te faudrait 7 000 trains chargés chacun de 1 000 tonnes !

Sur le rivage de la Méditerranée

Pendant l'Antiquité, tous les peuples méditerranéens ont les yeux rivés vers cette "mer au milieu des terres". Même s'ils redoutent ses colères, ils sont attirés par ses flots bleus qui les portent vers des terres jamais lointaines. Le long de cet immense lac reliant l'Afrique, l'Asie et l'Europe, les conquérants s'affrontent tandis que commerçants et aventuriers s'échangent des marchandises et des idées. Phéniciens, Carthaginois et Crétois y essaiment leurs comptoirs. Les Grecs y multiplient leurs colonies. Les Romains conquièrent toutes ses rives et en font la mer intérieure de leur empire.

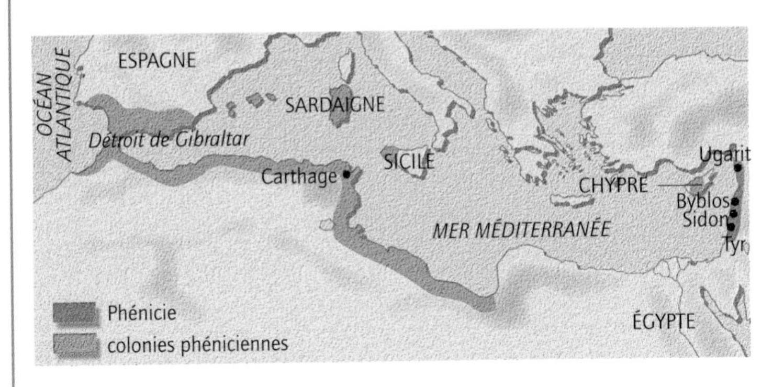

Très commerçants, ces Phéniciens !

Sur leurs quais, on s'active beaucoup. Des esclaves et des serviteurs vident les cales des gros bateaux qui viennent d'accoster. Déjà, les marchands négocient et s'engagent dans de longues discussions. Dès 1200 av. J.-C., les Phéniciens sont en effet les maîtres de la Méditerranée et leur richesse est grande.

Pleins feux sur les ports du Levant

Les ports établis le long des côtes de Syrie, du Liban et d'Israël sont les centres de petits royaumes composés d'une plaine littorale bordant la montagne plantée de vignes et d'oliviers. Les principales cités-États sont Byblos, Tyr, Sidon et Ugarit. En raison de leur prospérité et de leur position, au carrefour de l'Orient et de l'Occident, elles sont périodiquement la proie de leurs puissants voisins égyptiens, assyriens, babyloniens, perses et grecs. Mais cela ne les empêche pas de développer leur activité. À partir du IXe siècle av. J.-C., les Phéniciens établissent des ports dans les grandes îles et le long des côtes de la Méditerranée. Ces comptoirs, qui leur servent à la fois d'escales et d'entrepôts, prouvent la puissance de leur empire marchand.

La Méditerranée, une mer sillonnée en tous sens

À bord de leurs robustes bateaux, les Phéniciens vendent les marchandises qui font leur réputation : le bois de cèdre – matériau idéal pour fabriquer charpentes ou navires –, et la pourpre – une substance rouge provenant d'un coquillage, le murex – qui sert à teindre les tissus. Ils transportent aussi les produits de toutes les régions du monde antique, car ils sont avant tout des intermédiaires. D'Égypte, ils rapportent des céréales qu'ils revendent en Crète. À Chypre, ils embarquent des barres de cuivre. Ils se procurent du fer et de l'argent en Sardaigne et du plomb en Espagne.

En avant pour l'aventure !

À la recherche de marchandises rares qui se vendent cher, les Phéniciens s'aventurent toujours plus loin et explorent des terres inconnues. Leurs navires se hasardent dans l'océan Atlantique, au-delà du détroit de Gibraltar, et abordent Madère et les îles Canaries au VIIe siècle av. J.-C. Deux siècles plus tard, dans leur sillage, le navigateur carthaginois Hannon longe l'Afrique occidentale et remonte le fleuve Sénégal. Son compatriote Himilcon atteint l'Angleterre et peut-être l'Irlande. Ils gardent le secret de leurs routes maritimes et de leurs découvertes.

Dur comme du bois

La magnifique forêt du Liban fournit en abondance un bois d'une grande qualité que l'on réserve aux charpentes des palais et surtout à la construction des navires. Dur et imputrescible, il permet de fabriquer des coques robustes, capables d'affronter les redoutables tempêtes de la Méditerranée. Les bateaux sont équipés d'une grande voile carrée, tissée avec du lin d'Égypte, et de deux grandes rames fixées à l'avant.

Transport du bois de cèdre provenant du Liban.

L'alphabet est inventé !

A, B, C, D… Notre alphabet est le résultat d'une très longue évolution commencée il y a plus de trois mille ans. Il a été inventé par les Phéniciens, peuple marchand qui cherchait à mieux communiquer avec ses clients. C'est grâce à lui qu'aujourd'hui, nous apprenons plus facilement à écrire.

Alphabet d'Ugarit		Alphabet phénicien
a	n	a
b	ẓ	b
g	s	g
ḫ	ʿ	d
d	p	h, é
h	ṣ	ou, v
w	q	z
z	r	h
ḥ	ṯ	th
ṭ	ġ	i, y
y	t	k
k	i	l
š	u	m
l	s̀	n
m		x, s
ḏ		o
		p, ph
		ts, s
		kh
		r
		sh
		t

Le premier alphabet inventé à Ugarit comprend 30 caractères. Plus tard, il est simplifié et réduit à 22 caractères.

Pas facile d'écrire

Jusque vers 1500 av. J.-C., les peuples du Moyen-Orient connaissent trois grands systèmes d'écriture : les cunéiformes – en Syrie, en Mésopotamie et en Perse –, les hiéroglyphes égyptiens et les hiéroglyphes hittites en Asie Mineure, dans l'actuelle Turquie. Leur apprentissage et leur utilisation sont difficiles, réservés aux scribes qui, seuls, sont capables de transcrire les 300 caractères cunéiformes ou les 800 signes égyptiens.

Les premiers alphabets

À Ugarit, une cité-État phénicienne, apparaît vers 1500 av. J.-C. le premier alphabet en écriture cunéiforme simplifiée s'écrivant de droite à gauche. Plus au sud, à Byblos, autour de 1100 av. J.-C., des scribes imaginent de le réduire en utilisant seulement 22 signes. L'alphabet ainsi inventé n'est constitué que de consonnes transcrivant les sons. Le phénicien est une langue sémitique, comme l'hébreu et l'arabe, dont l'écriture ne note pas les voyelles. Les consonnes suffisent à identifier le mot.

Premier texte connu utilisant les signes de l'alphabet de Byblos.

Des Phéniciens... jusqu'à nous !

Vers 800 av. J.-C., l'alphabet phénicien gagne le monde grec. Les deux premières lettres phéniciennes *aleph* et *beth* deviennent en grec *alpha* et *bêta* qui donnent naissance au mot "alphabet". Pour que soit représentée la totalité des sons de leur langue, les Grecs ajoutent des voyelles. Au IIIe siècle av. J.-C., les Phéniciens transmettent leur système d'écriture aux Romains, par l'intermédiaire des Étrusques, un peuple vivant en Italie du Centre (*voir p. 82-83*). Cet alphabet latin est aujourd'hui le nôtre ! Comme les Grecs, les Romains écrivent de gauche à droite et utilisent deux types de lettres : les majuscules et les minuscules. Sur la pierre, ils gravent avec des burins et des ciseaux les formes grandes et droites des majuscules. Sur le papyrus ou les tablettes de cire, leur écriture légère et arrondie est surtout en minuscules.

Ce scribe écrit sur un morceau de poterie cassé qui lui sert de brouillon.

Vous parlez araméen ?

Si le phénicien a permis la création de l'alphabet grec, il a aussi donné naissance à l'araméen, l'écriture et la langue du pays d'Aram (une région située à peu près à l'emplacement de la Syrie actuelle). L'araméen, la langue de Jésus, est encore parlé aujourd'hui dans certaines régions de Syrie, d'Irak et de Géorgie. L'hébreu et l'arabe en sont issus.

Inscription trilingue gravée en latin, grec et phénicien.

Inscription phénicienne.

Un traducteur, s'il vous plaît !

Les Étrusques vivaient en Italie bien avant les Romains. Au VIIe siècle av. J.-C., au contact des Grecs installés en Italie du Sud, ils adoptent leur alphabet mais inversent les signes. Résultat : on reconnaît les lettres mais on est incapable, encore aujourd'hui, de comprendre le sens des mots !

Carthage, la fière cité

En plein cœur de la Méditerranée, sur la côte de l'actuelle Tunisie, le port de Carthage connaît un destin exceptionnel. Il contrôle la voie d'accès à l'océan Atlantique et organise des échanges entre l'Afrique du Nord, l'Espagne et la Sicile. Osant même défier Rome, devenue sa grande rivale, il lui livre un combat sans merci…

De grandes cales couvertes abritent les navires de guerre. Derrière se trouve le port de commerce.

Petite ville deviendra grande

Vers 800 av. J.-C., des Phéniciens venus de la cité de Tyr fondent sur la côte d'Afrique du Nord un port qu'ils nomment Qart Hadasht, c'est-à-dire la ville nouvelle. Les Romains l'appelleront Carthage. La cité construite sur une colline rocheuse domine deux anses. L'une abrite les navires de commerce, l'autre la flotte de guerre. Le port est d'abord une simple escale sur la route de l'Espagne. Mais grâce à ses propres comptoirs dispersés le long des côtes de la Méditerranée occidentale, il devient dès le VIe siècle av. J.-C. le centre d'un nouvel empire maritime qui supplante celui des Phéniciens. Les bateaux carthaginois chargent et déchargent les métaux d'Espagne (l'argent, le fer et le plomb), l'ivoire et les esclaves africains du Maroc, ainsi que les épices et les bois précieux d'Orient.

Au sommet de sa puissance

Avec ses 100 000 habitants, Carthage est la plus grande cité d'Occident au IIIe siècle av. J.-C. À l'abri de sa triple muraille se rencontrent de nombreux peuples : Libyens et Numides d'Afrique du Nord, Ibères d'Espagne, Grecs et Phéniciens. Le long des rues bien tracées et pourvues d'égouts s'élèvent les belles habitations des riches commerçants et, dans les quartiers modestes, s'entassent des maisons parfois hautes de six étages ! C'est parmi le peuple que sont recrutés les soldats professionnels de l'armée. Celle-ci dispose d'une

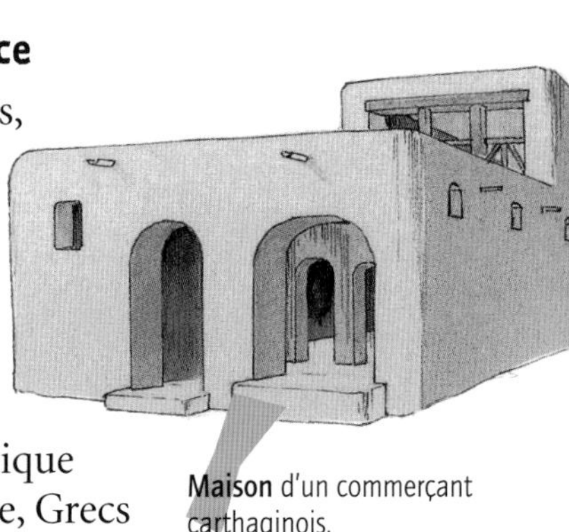

Maison d'un commerçant carthaginois.

Carthage contre Rome

Au IIIe siècle av. J.-C., Carthage se heurte aux ambitions de sa rivale, Rome, partie à l'assaut du Bassin méditerranéen. Au cours de trois guerres, appelées guerres puniques, les deux cités se livrent de durs combats. En 215 av. J.-C., les éléphants du général Hannibal sèment la terreur dans le camp romain. Les Carthaginois menacent même Rome, finalement sauvée. Et ce sont les légionnaires romains qui parviennent à l'emporter. Le choc ultime a lieu en 146 av. J.-C. Vaincue, Carthage est brûlée et rasée. Du sel, symbole de stérilité, est jeté sur ses ruines fumantes.

excellente cavalerie et d'éléphants de combat, sans compter la flotte de guerre composée de centaines de galères. Les plus grandes, les quinquérèmes, sont manœuvrées par 300 hommes. Cette redoutable armée est dirigée par des généraux élus par les citoyens de la cité. Le destin de Carthage repose entre leurs mains. Et ils doivent vaincre sur le champ de bataille, sinon ils sont mis à mort !

Au secours, des éléphants !

En 218 av. J.-C., le général Hannibal réussit l'incroyable exploit de franchir les Pyrénées puis les Alpes avec son armée de 40 000 hommes, accompagnée de 37 éléphants de combat. Le froid est rude et la marche en montagne pénible. Quand les Carthaginois déferlent sur l'Italie, il ne reste plus que 26 000 hommes et 12 éléphants, mais quelle panique chez les Romains !

Les galères ont une coque effilée. Elles fendent rapidement les flots, propulsées par des rameurs installés sous le pont.

La Crète, l'île de Minos

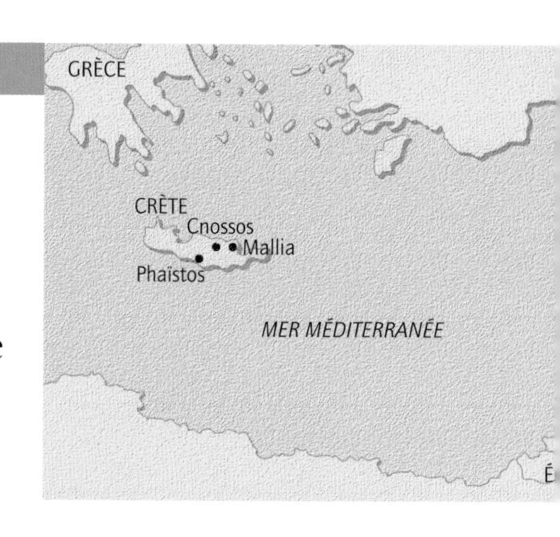

Cette belle île, située à mi-chemin entre la Grèce et l'Égypte, émerge des flots bleus de la Méditerranée. On raconte que Minos y résidait. Fils de Zeus et de la princesse Europe, il monta sur le trône de ce petit royaume grâce à Poséidon, dieu de la mer. Forts de cette légende, les souverains de Crète portèrent tous le titre de "Minos".

La mer, jamais très loin, inspire les artistes qui décorent les murs des palais.

Un pont entre trois continents

Entre 2000 et 1450 av. J.-C., la Crète voit se développer une civilisation brève mais brillante, qui influencera la future Grèce. Sorte de pont entre l'Europe, l'Asie et l'Afrique, cette île tire les plus grands bénéfices de sa situation exceptionnelle. Des peuples venus d'Asie Mineure ou de l'actuel Liban y développent l'agriculture, la pêche et surtout le commerce avec les îles voisines. Leurs bateaux, dirigés par des navigateurs expérimentés sachant utiliser les astres pour s'orienter, sillonnent toute la Méditerranée orientale.

Un fructueux commerce

Pendant des siècles, les Crétois tirent leur richesse et leur puissance du commerce des métaux, marchandises très recherchées pour fabriquer des outils et des armes. Pour se procurer de l'étain et du cuivre qu'ils revendent ou transforment, ils échangent de l'huile, du vin, du blé, les produits de leur artisanat et de leurs fonderies. Aux multiples ports qu'ils contrôlent dans toute la Méditerranée, les marchands crétois imposent le versement d'un tribut annuel, une sorte d'impôt.

Le prêtre-roi, reconnaissable à sa coiffure emplumée, donne ses audiences dans la salle du trône.

À la fois prêtre et roi

Cette grande puissance maritime est dirigée par des prêtres-rois qui sont à la fois souverains et chefs religieux. Ils résident dans d'immenses palais, signes d'une grande richesse accumulée au fil du temps. Des conseillers et des scribes les assistent en tenant les comptes et en notant les directives royales sur des tablettes d'argile. Dans les salles du palais, qui servent également de sanctuaires car il n'y a pas de temple, les prêtres-rois président aux cérémonies religieuses. Avec le peuple, ils vénèrent la déesse-mère qui symbolise la terre nourricière, le taureau qui représente l'énergie vitale, et toutes les divinités peuplant les bois, les grottes et les montagnes.

Catastrophes en séries

L'histoire de la Crète ancienne est liée aux catastrophes naturelles qui la ravagent périodiquement. Vers 1750 av. J.-C., un violent tremblement de terre détruit toutes les cités de l'île, qui sont par la suite reconstruites. Vers 1450 av. J.-C., le volcan de Théra (actuelle île de Santorin) explose sous le coup d'une violente éruption. S'ensuivent des tremblements de terre et des raz-de-marée qui atteignent la Crète et détruisent en partie ses cités. Cette fois, les palais ne sont pas rebâtis et les Crétois ne peuvent rien faire face aux guerriers grecs qui déferlent sur leur île. La civilisation de la Crète s'éteint brutalement vers 1400 av. J.-C.

Au palais de Cnossos

C'est jour de fête aujourd'hui en Crète dans le splendide palais de Cnossos. Le roi a invité tous ses sujets à assister à la course au taureau, le clou d'une cérémonie organisée en l'honneur des dieux. Des jeunes gens bondissent devant l'animal furieux. Ils empoignent ses cornes et voltigent au-dessus de lui. La foule retient son souffle…

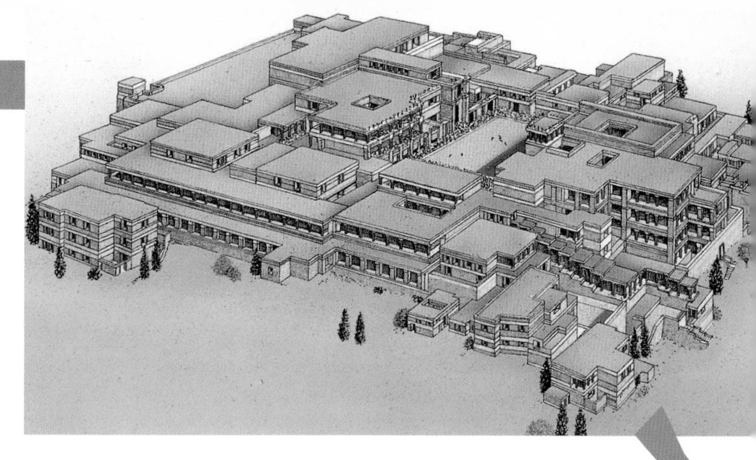

Le palais de Cnossos est ordonné autour d'une vaste cour intérieure.

On s'y perdrait !

À Mallia, Phaïstos et Cnossos, les villes les plus importantes de l'île, les Crétois édifient d'immenses palais à partir de 2000 av. J.-C. Celui de Cnossos, où réside le roi Minos, est le plus majestueux : il compte vraisemblablement 1 300 pièces distribuées selon un plan très compliqué, presque un labyrinthe ! Entouré d'habitations qui abritent 100 000 habitants vers 1500 av. J.-C. il constitue le centre principal de l'île.

Qu'il fait bon y vivre

Les pièces lumineuses, éclatantes de couleurs, sont décorées de colonnes et de fresques représentant des personnages en mouvement et pleins de grâce. Ces ouvrages reflètent la maîtrise d'un grand art et la douceur de vivre. Dans ce gigantesque édifice où s'enchevêtrent salles et couloirs, le confort est déjà moderne. Grâce aux murs épais et aux cours intérieures, les pièces restent fraîches en été. Les eaux de pluie sont recueillies dans de grandes citernes. Et luxe suprême pour l'époque, les salles de bains équipées de baignoires ont l'eau courante et le tout-à-l'égout !

Dans les pièces réservées au culte, des serviteurs s'avancent en procession, les bras chargés d'offrandes.

Crétois, moi ?

Les anciens Grecs ont été à l'école de la Crète. Ce sont les Crétois qui leur ont appris à cultiver la vigne et l'olivier, à souder le bronze, à façonner leurs vases sur des tours de potier, à construire des navires et à partir à l'aventure sur les mers... Puisque les anciens Grecs sont aussi nos ancêtres, qu'aurions-nous été sans les Crétois ?

Pour l'amour des dieux

Les jours de fête, le peuple se masse autour de la cour centrale inondée de soleil pour assister aux spectacles donnés en l'honneur des dieux. Le taureau et le serpent ont une place privilégiée lors de ces réjouissances car ils symbolisent tous deux la fertilité. Des danses, des concours de gymnastique et de dangereux exercices acrobatiques sur des taureaux se succèdent. Les animaux sont ensuite sacrifiés et leur sang est versé pour féconder la terre.

Déesse ou prêtresse aux serpents.

Monstrueux Minotaure

Le plan très compliqué de Cnossos ainsi que le versement du tribut par les cités soumises à la Crète sont à l'origine de la fameuse légende du Minotaure. On raconte que ce monstre à corps d'homme et à tête de taureau vivait enfermé dans un labyrinthe. Pour se nourrir, il dévorait des jeunes gens et des jeunes filles que la cité d'Athènes devait livrer chaque année. Heureusement, Thésée, le fils du roi d'Athènes, réussit à tuer le Minotaure. Et grâce au fil donné par Ariane, la fille de Minos, il retrouve son chemin et sort du palais sain et sauf.

Les premiers Grecs

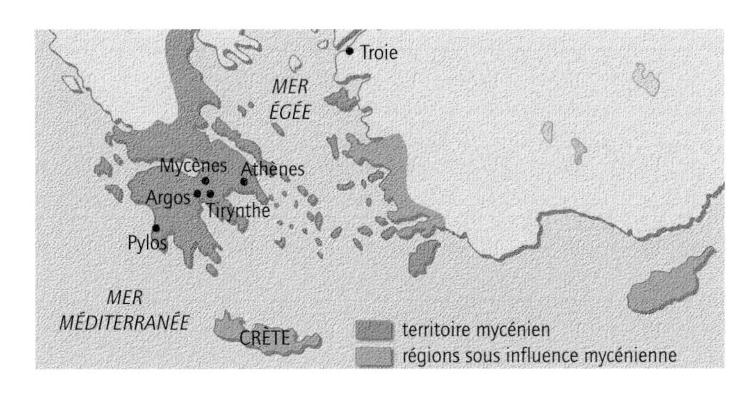

Après la destruction brutale de la Crète en 1450 av. J.-C., les Achéens installés en Grèce – appelés aussi Mycéniens – prennent le contrôle de la mer Égée. Là, leur civilisation brillante se diffuse et rayonne pendant plus de trois siècles. Ils sont considérés comme les premiers Grecs.

Vase mycénien, objet d'un commerce actif.

Des commerçants envahissants

Arrivés par vagues successives d'Europe centrale dès 2000 av. J.-C., les Achéens s'établissent dans le Péloponnèse, au sud de la Grèce continentale. De là, ils apprennent à naviguer en Méditerranée, où ils deviennent le plus souvent pirates, et ils lancent des expéditions pour occuper de nouvelles terres. Ils poursuivent ainsi leur expansion jusque vers 1200 av. J.-C. Ils pratiquent également le commerce : leurs comptoirs sont implantés des côtes de Sardaigne jusqu'en Asie Mineure, leurs vases et leurs bijoux se vendent en Orient. Mais des tremblements de terre et l'arrivée d'envahisseurs venus des Balkans vers 1100 av. J.-C. font basculer la Grèce dans le chaos et la barbarie. Ses villes sont détruites. La civilisation mycénienne, dont hériteront plus tard les cités grecques, disparaît.

Dans les palais fortifiés

Les premiers Grecs vivent dans des petits royaumes, tels Mycènes, Tirynthe, Argos et Pylos, les plus riches d'entre eux. Leurs rois résident dans des palais entourés d'enceintes fortifiées dites "cyclopéennes" car, d'après les Grecs, seuls des géants légendaires comme les Cyclopes auraient été capables de les construire. Bien plus modestes et rustiques que les palais crétois, les demeures royales sont conçues pour résister à de longs sièges. Les provisions s'entassent dans des magasins et l'eau est stockée dans de grandes citernes. Les princes défunts sont enterrés dans des tombes circulaires, entourés de véritables trésors : or provenant des butins, armes, bijoux et objets précieux.

Masque funéraire en or, plaqué sur le visage d'un prince défunt.

Surprenant camouflage !

Dans l'*Iliade*, Homère raconte comment Achéens et Troyens s'affrontent pendant dix ans. Mais son récit est loin d'être historique. Au moment où les Grecs songent à lever le camp, écrit-il, Ulysse intervient. Ce chef achéen très rusé fait construire un énorme cheval de bois dans lequel il se cache avec ses soldats, pendant que le reste de l'armée fait mine de partir. Un espion grec persuade les Troyens de faire entrer le cheval dans la ville. Les Achéens se ruent aussitôt dans la cité et la pillent ! Mais en réalité Ulysse n'a jamais existé, et le cheval de Troie non plus...

Guerriers mycéniens devant la porte des Lionnes de Mycènes.

La guerre de Troie a bien eu lieu

Cette gigantesque expédition lancée par les Achéens contre Troie, une riche ville de la côte d'Asie Mineure, est connue à travers l'*Iliade* et l'*Odyssée*, les deux célèbres poèmes composés par Homère au VIIIe siècle av. J.-C. Appris par cœur par les enfants grecs de l'Antiquité et servant de premier livre de lecture, ces récits ont longtemps été considérés comme légendaires. Mais en 1871, un archéologue allemand découvre sur le site de Troie des vestiges détruits avec violence datant de l'époque supposée de l'expédition, entre 1230 et 1200 av. J.-C. La célèbre guerre put enfin sortir de la légende pour entrer dans l'Histoire.

Les cités grecques

Blottis entre la mer et la montagne, de petits États indépendants naissent vers 800 av. J.-C. et s'organisent en cités. Bientôt, celles-ci envoient des navigateurs, des marchands et des aventuriers dans tout le Bassin méditerranéen. Elles donnent pour longtemps son unité au monde grec.

Citoyen et fier de l'être

Après de longs siècles de désordre, la prospérité revient. De nouvelles techniques se diffusent : le bronze est remplacé par le fer, un métal plus souple et plus résistant. Le commerce s'intensifie et la population s'accroît. Dans les différentes régions de Grèce, des villages voisins se regroupent pour former des cités. Dans chacune d'elles, les hommes sont des citoyens. Ils obéissent ainsi aux mêmes lois, honorent les mêmes dieux et combattent côte à côte en cas de menace. De grandes familles possédant les terres les gouvernent. Chaque cité est fière de ses origines et farouchement attachée à son indépendance.

Au cœur de la ville

La cité grecque ne désigne pas seulement la ville, mais tout le territoire qui l'entoure : la campagne et ses villages. Derrière ses remparts, la ville grouille de monde à l'approche de l'agora, la grande place où se tient le marché. Artisans et paysans pratiquent encore le troc, mais ils utilisent aussi la monnaie dont l'usage se répand depuis le VIIe siècle av. J.-C. À proximité de la place, se dresse la masse imposante du temple dédié au dieu protecteur de la cité.

Monnaie athénienne sur laquelle figure une chouette, l'oiseau d'Athéna.

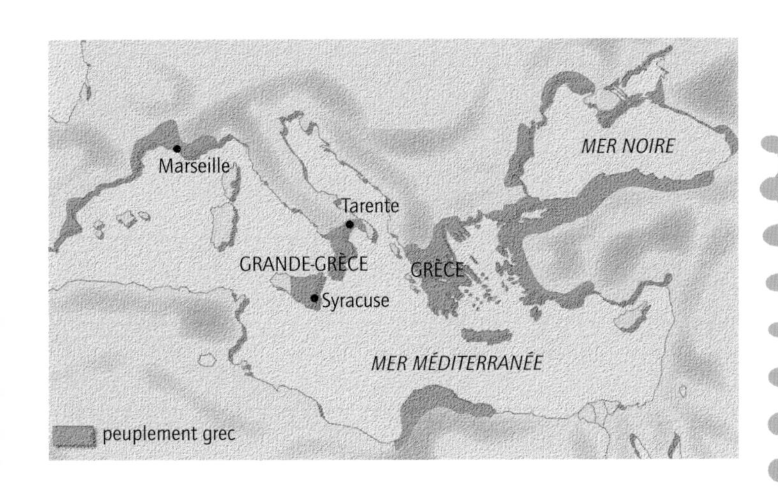

Nos ancêtres les Grecs

Sais-tu quelle est la plus ancienne ville de France ? Ce sont des Grecs venus de Phocée qui l'ont fondée vers 600 av. J.-C. : il s'agit de Massalia, Marseille, appelée encore aujourd'hui la "cité phocéenne". Un grand port, dont on a découvert les vestiges il y a une quarantaine d'années, y a été construit. Là, les marins grecs déchargeaient de leurs bateaux des amphores de vin, une boisson nouvelle dont les Gaulois raffolaient. Ils les chargeaient en retour de barres d'étain, un minerai recherché servant à la fabrication du bronze. Ensuite, la colonie de Marseille a essaimé à son tour et a fondé Nice, Antibes et Agde.

La Méditerranée, mer grecque

Entre 750 et 600 av. J.-C., un grand mouvement de colonisation pousse de nombreux Grecs sur les mers. Le goût de l'aventure, le désir de s'enrichir et le manque de terres dû à l'augmentation de la population les conduisent à créer des colonies, répliques de leur cité d'origine. Syracuse en Sicile est fondée par des Corinthiens, Tarente en Italie par des Spartiates. Ces nouvelles villes gardent des liens avec leurs cités-mères – les métropoles –, elles conservent leurs coutumes, leur religion et la langue grecque.

Elles sont si nombreuses en Italie du Sud et en Sicile que cette région prend le nom de Grande-Grèce. Malgré leurs différences, ces colonies, qui s'étendent de l'Espagne à la mer Noire, forment avec la Grèce un ensemble uni par une même culture. Elles s'opposent ainsi au monde des Barbares, ceux qui parlent une langue différente.

Les colonies sont construites sur le même modèle que les cités d'origine : un port et un temple en hauteur.

Athènes au sommet de sa puissance

On vient de toute la Grèce pour admirer les temples de l'Acropole d'Athènes.

De la mer, on aperçoit la haute ligne de ses remparts et au-delà, la colline de l'Acropole où se dressent des temples d'un blanc éclatant. Au Ve siècle av. J.-C., Athènes apparaît dans toute sa splendeur. La reine des cités grecques n'a jamais été aussi riche et rayonnante. « La puissance de notre cité est telle que tous les biens de la Terre y affluent ! », s'exclamait Périclès.

Guerrière et victorieuse

Au début du Ve siècle av. J.-C., la Grèce est menacée par les armées du roi de Perse. Lors de deux guerres appelées médiques (490 av. J.-C. puis 480-479 av. J.-C.), Athènes jette toutes ses forces dans la bataille contre l'envahisseur. Et celui-ci est chassé du sol grec (*voir p. 64-65*). Forte d'un grand prestige, Athènes prend la tête d'une alliance rassemblant de nombreuses cités afin de s'opposer à toute nouvelle attaque perse. Chaque cité accepte de fournir des soldats, des navires ou une somme d'argent. Mais peu à peu, l'alliance ne profite qu'à Athènes qui impose sa domination.

La reine des cités

Quelle cité peut rivaliser avec Athènes et ses 300 000 habitants ? Elle doit sa prospérité à la riche plaine de l'Attique qui l'entoure, à la proximité de la mer Égée qui favorise le commerce, à son sous-sol riche en mines d'argent et à ses carrières de marbre. Le port du Pirée est le plus grand de toute la Méditerranée. Les gros navires marchands acheminent le blé dont la cité a besoin et en retour, ils emportent dans leurs cales vin, huile et céramiques qu'elle produit. La flotte de guerre composée de 300 trières – des bateaux d'environ 200 hommes actionnés par trois rangs superposés de rameurs – veille en permanence.

La trière athénienne est munie à l'avant d'un éperon de bronze qui sert à défoncer le flanc des navires ennemis.

La démocratie naissante

De quoi Athènes tient-elle sa force ? Sans doute de la nouvelle façon de gouverner qui associe le peuple à toutes les décisions de la cité : c'est la démocratie. Le peuple est représenté par ses citoyens, les Athéniens de plus de 18 ans. Les femmes, les esclaves et les étrangers, appelés métèques, sont exclus de la vie politique.
Les citoyens ont tous les mêmes droits. Ils votent les lois, décident de la paix ou de la guerre, et élisent ceux qui sont chargés d'appliquer les décisions. Lors de l'assemblée qui se tient en plein air, chacun peut demander la parole et venir à la tribune. Ce nouveau système nous sert encore de modèle aujourd'hui.

Périclès, l'Athénien

L'homme n'est pas beau. Son crâne, dit-on, a la forme d'un oignon, c'est pourquoi il le cache en portant un casque relevé sur la tête. Mais quel talent ! Il profite de la richesse de la cité pour renforcer la démocratie en donnant des indemnités aux citoyens. Ainsi, même les plus pauvres peuvent participer au gouvernement d'Athènes. Pendant quinze ans, de 445 à sa mort en 429 av. J.-C., il est élu quatorze fois de suite pour être le principal dirigeant de la cité. Il ordonne la reconstruction de l'Acropole dévastée par les Perses en 480 av. J.-C. et il porte la cité d'Athènes à son niveau le plus haut, raison pour laquelle le Ve siècle av. J.-C. est appelé le siècle de Périclès.

Au Ve siècle av. J.-C., la cité d'Athènes compte environ 40 000 citoyens, mais il suffit que 6 000 d'entre eux soient présents pour que l'assemblée puisse se réunir.

La bataille de Marathon

En 490 av. J.-C., plus de 20 000 soldats perses viennent de débarquer dans la plaine de Marathon pour marcher sur Athènes, non loin de là. Les combattants grecs, qui sont seulement 10 000, s'alignent en rangs serrés. La première guerre médique éclate…

La trompette vient de retentir. Les soldats grecs s'avancent vers l'ennemi, leurs longues lances pointées par-dessus leur épaule. Puis, brusquement, ils accélèrent le pas et se ruent sur leurs adversaires. Face à une telle rapidité, les archers perses sont stupéfaits ! Ils enfoncent cependant les quatre rangs au centre, et le corps à corps qui dure des heures est d'une terrible violence. Mais aux deux ailes, les Grecs résistent. Progressivement, ils enserrent leurs ennemis comme dans une tenaille et leur infligent de lourdes pertes. Les Perses n'ont plus

Le premier marathonien

Après la victoire de Marathon, un messager appelé Philippidès, court annoncer la bonne nouvelle aux Athéniens. À son arrivée, il meurt d'épuisement. En son souvenir, une épreuve de course à pied est instituée. Aujourd'hui encore, les marathoniens courent 42,195 km : la distance séparant Marathon d'Athènes.

qu'une issue : fuir et regagner leurs navires. La victoire de Marathon est retentissante : pour la première fois, le puissant empire perse est battu par les petites cités grecques !

Un armement de choc

Le hoplite, combattant à pied qui fait la fierté de l'armée grecque, porte un lourd casque, une cuirasse et des jambières. Il s'abrite derrière un bouclier en bois recouvert de bronze. Il attaque avec une lance longue de 2 m, et sa courte épée sert au corps à corps. Son équipement complet peut peser jusqu'à 35 kg !

Dans la cité d'Athènes...

De bon matin, alors que la ville s'éveille, la foule envahit déjà les rues tortueuses et les places pour se rendre au marché de l'Agora, puiser de l'eau aux fontaines ou simplement bavarder. Quant aux jeunes Athéniens, ils s'apprêtent à partir à l'école.

Sportifs et cultivés
L'éducation est vraiment complète quand les garçons, à partir de 12 ans, sont initiés au sport et à la gymnastique. Sous la direction d'un pédotribe, ils s'entraînent à la lutte et aux lancers de disque et de javelot dans une sorte de gymnase, la palestre. S'ils en ont les moyens, ils peuvent suivre les leçons des rhéteurs qui enseignent l'art de parler en public.

Au cœur du logis
Dans les demeures de briques crues collées les unes aux autres, on range les matelas de paille qui ont servi pour la nuit. La maîtresse de maison accomplit ses tâches ménagères en surveillant ses jeunes enfants. Elle vit et travaille avec ses filles dans la partie de la maison réservée aux femmes, le gynécée. Elles ne peuvent sortir seules, même pour faire des achats.

Que de travail !
Jusqu'à l'âge de 7 ans, le garçon reste à la maison. Puis il prend le chemin de l'école, payante pour tous. S'il est de famille riche, il est accompagné d'un esclave, le pédagogue, qui lui fait réciter ses leçons. Le maître d'école, appelé grammatiste, en donne beaucoup ! Il enseigne la lecture, l'écriture et le calcul en se servant d'un stylet - une tige très fine et pointue - et de tablettes enduites de cire. Le cithariste est chargé de la musique et du chant.

Experts en la matière
Quel bruit dans le quartier du Céramique ! C'est là que se trouvent les ateliers des potiers où patrons, ouvriers et esclaves fabriquent des vases en quantité. Il y en a pour toutes les bourses et tous les goûts. De longues amphores ou de grands vases pour conserver l'huile et le vin, des cratères plus larges pour mélanger le vin et l'eau, des coupes à boire, des flacons de parfum... Les poteries athéniennes sont si renommées qu'elles sont transportées à travers mers jusque chez les Barbares, en Europe du Nord.

À table !

Les Athéniens regagnent leur maison à midi et le soir pour prendre leurs repas. Au menu : galettes d'orge, olives, poisson, quelques légumes cuits à l'huile d'olive, fromage de chèvre et figues. Le vin, très fort, est toujours coupé avec de l'eau. Le miel sert à sucrer les aliments.

Par une chaleur étouffante
Non loin de là, dans les faubourgs de la ville, des fondeurs viennent de recevoir la commande d'une grande statue en bronze et ils s'activent beaucoup. Le four dégage une chaleur torride. Un ouvrier muni d'un long bâton tisonne le feu pendant qu'un autre actionne les soufflets pour augmenter la température. Le bronze entrera ainsi en fusion et sera ensuite versé dans un moule épousant les formes de la future statue. Un ouvrier devra encore polir le métal avant que la statue ne soit prête.

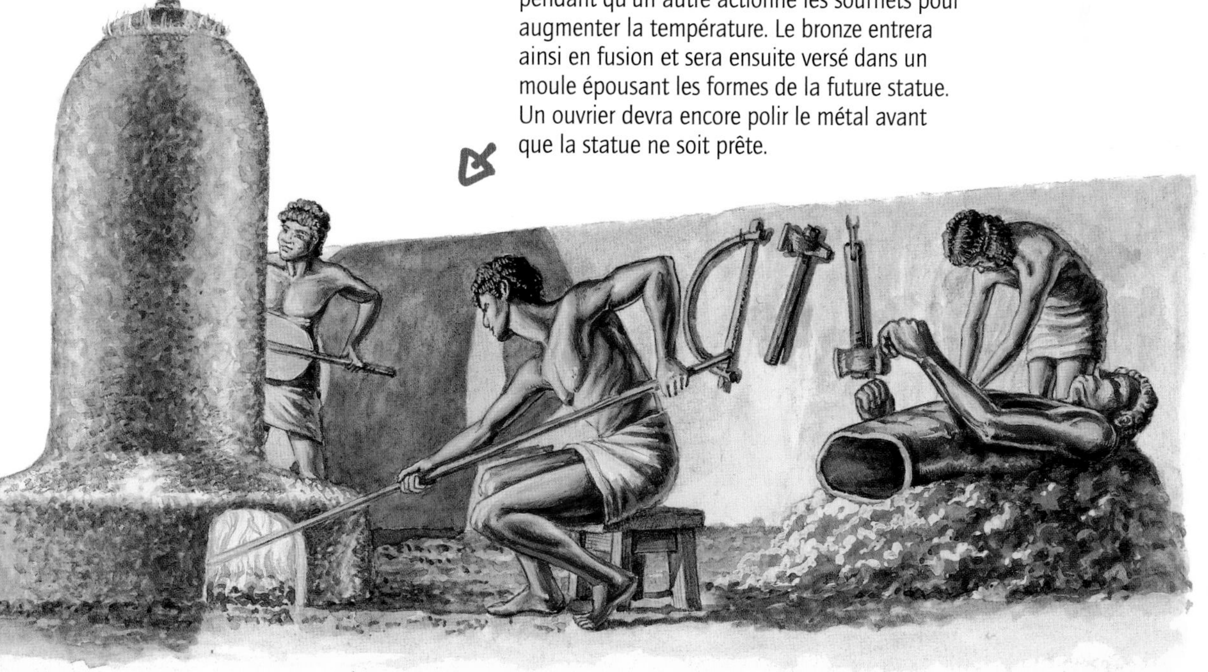

Les dieux sont partout !

Dans l'intimité familiale ou à l'occasion de grandes fêtes, les Grecs célèbrent leurs dieux qui, selon eux, interviennent à tout moment dans leur vie. Qu'ils soient de cités rivales ou amies, ils partagent les mêmes croyances et accomplissent les mêmes rites. La religion les unit profondément.

Zeus, roi des dieux

Bercés par la mythologie

Dès leur plus jeune âge, les Grecs sont familiarisés avec le monde des dieux grâce aux récits légendaires qui constituent la mythologie. Celle-ci explique la création du monde et comment Zeus est devenu le roi des dieux. Elle raconte aussi les multiples aventures des divinités, leurs haines et leurs amours. Chantée par les poètes ou les comédiens, représentée à travers peintures et sculptures, la mythologie imprègne les Grecs tout au long de leur vie.

Héra, femme de Zeus, déesse du mariage

Poséidon, dieu de la mer et des eaux

Des dieux à l'image des hommes

Les Grecs croient en l'existence de multiples divinités qui les observent, les protègent ou déchaînent leur colère contre eux. Les dieux les plus puissants, au nombre de douze *(ceux dessinés ici)*, habitent l'Olympe, la plus haute montagne grecque. Ils sont des êtres familiers, représentés sous une forme humaine, possédant les mêmes qualités et les mêmes défauts que les hommes. Ils tombent amoureux, se jalousent, se disputent… Mais ils sont immortels, grâce au nectar et à l'ambroisie dont ils se nourrissent, et ils ont le pouvoir de se rendre invisibles ou de se transformer.

Il fait la pluie et le beau temps

Zeus, le plus grand des dieux, est celui qui, tour à tour, éclaire le ciel, le couvre de nuages, lance des éclairs, fait gronder le tonnerre, répand pluie et neige sur la terre. Il est tellement associé à la météo que les Grecs disaient : « Zeus pleut » ou « Zeus tonne » !

Hestia, déesse du foyer

Héphaïstos, dieu du feu et de la métallurgie

Aphrodite, déesse de l'amour et de la beauté

Comprenne qui veut !

Les Grecs se rendent nombreux à Delphes, qu'ils considèrent comme le centre du monde, pour honorer le dieu Apollon et surtout lui demander conseil. Sa réponse, appelée oracle, est donnée par une prêtresse, la pythie. Assise sur un tabouret, elle mâche des feuilles de laurier, boit de l'eau ou respire des fumées sacrées, puis entre en transe et balbutie des paroles incompréhensibles. Des prêtres les interprètent et les hommes suivent à la lettre ce qu'ils leur disent.

Athéna, déesse de la guerre et de la raison

À la maison et dans la cité

Le père de famille honore chaque jour Hestia, la déesse du foyer, en déposant des offrandes – fruits ou gâteaux – sur un petit autel où le feu sacré ne doit jamais s'éteindre. Dans les rues, de nombreuses statues des divinités veillent sur les hommes. Chaque cité possède des temples, souvent construits avec les matériaux les plus précieux, et rend un culte particulier à son dieu protecteur.

À dates fixes, les Grecs de toutes les cités se rendent dans les grands sanctuaires pour honorer les dieux les plus importants, comme Zeus à Olympie, Apollon à Delphes, Poséidon à Corinthe. Dans de vastes espaces sacrés où s'élèvent temples, théâtres, gymnases et stades, ils assistent à des compétitions sportives ou à des concours de poésie, de chant et de musique. Les prêtres font des offrandes et des sacrifices d'animaux.

Artémis, déesse de la chasse

Apollon, dieu de la musique et de la poésie

Déméter, déesse de la fécondité

Hermès, messager des dieux et dieu du commerce

Hadès, dieu des morts et des enfers

En l'honneur d'Athéna

De toutes les fêtes organisées dans la cité d'Athènes, celle des Panathénées est la plus belle et la plus solennelle. Tous les ans au mois de juillet, pour commencer l'année, elle rassemble l'ensemble des habitants qui célèbrent Athéna, leur déesse protectrice. Tous les quatre ans, ces festivités prennent un caractère encore plus grandiose : ce sont les grandes Panathénées.

Sur le flanc de l'Acropole, la colline sacrée, serpente un long cortège. En ce quatrième et dernier jour, la fête est à son apogée. Au son des chants et des instruments, tout le peuple monte en procession vers le temple du Parthénon où se dresse la statue en bois d'Athéna. Au premier rang défilent les prêtres et les riches citoyens, puis des femmes, les bras chargés de corbeilles remplies d'offrandes. Suivent les représentants de la cité et ceux des villes alliées. Derrière marchent des vieillards tenant à la main des branches d'olivier, des soldats en armes et des jeunes cavaliers hissés sur de beaux chevaux.

Dans un nuage de poussière, on aperçoit un troupeau de cent vaches blanches aux cornes dorées qui sont menées au sacrifice. Quand la foule atteint le sommet de la colline, la statue d'Athéna est recouverte d'un fin voile brodé que des jeunes filles de la ville ont tissé pendant neuf mois, comme l'exige la tradition. Les prêtres disent une prière et un chœur entonne un hymne religieux. Des hommes s'avancent alors, empoignent les cornes des vaches et les égorgent sur un autel en pierre. Les os et la graisse sont brûlés en offrande à Athéna, la viande est rôtie sur de grands feux : de quoi nourrir toute la ville en fête. Que la gloire de la déesse est grande !

Les jeux d'Olympie

L'instant est solennel : alors que les trompettes retentissent pour annoncer l'entrée des juges et des athlètes, on sacrifie un porc en l'honneur de Zeus, le dieu honoré au sanctuaire d'Olympie. Les jeux peuvent maintenant commencer. Que le meilleur gagne !

En piste !
Comme tous les athlètes, les coureurs sont nus, et le corps enduit d'huile. Ils doivent parcourir la piste longue de 192,27 m correspondant à 600 fois le pied du héros surhumain Héraklès qui, selon une légende, serait à l'origine des Jeux olympiques.

Pendant sept jours, concerts, discours, courses et combats se succèdent. Dans le stade plein à craquer qui contient 40 000 places, la foule bruyante, exclusivement composée d'hommes – libres, esclaves ou étrangers –, assiste aux différentes épreuves.

Et maintenant les discoboles...
Les lanceurs de disque prennent leur élan en se penchant vers l'avant, la main gauche posée sur le genou droit, et la main droite tenant le disque prêt à être lancé. Celui-ci, en bronze, peut peser jusqu'à 4 kg et est parfois orné de scènes sportives.

Place aux lanceurs de javelot !
Le lancer du javelot fait partie, avec la course, le saut en longueur, le lancer du disque et la lutte, des cinq épreuves du pentathlon. Pour projeter son arme avec plus de force, le lanceur passe deux doigts dans la boucle d'une lanière de cuir reliée à la hampe de son javelot.

Lestés pour mieux sauter
Le saut en longueur se pratique avec, dans chaque main, des haltères de 2 kg qui aident à prendre de l'élan. Juste avant de toucher le sol, les athlètes les lâchent, afin de gagner encore quelques centimètres !

Calendrier très sportif

Le point de départ du calendrier des anciens Grecs est 776 av. J.-C. : l'année où se sont tenus les premiers Jeux olympiques. C'est dire quelle importance ils avaient pour eux !

Sur la ligne de départ
Dans l'hippodrome, les conducteurs de chars, appelés auriges, attendent le signal de départ en tenant fermement les brides de deux ou quatre chevaux. Ils sont les seuls athlètes à être vêtus. Munis d'un fouet, ils s'élancent dans un nuage de poussière. Gare aux collisions qui peuvent être fatales !

Défense de mordre !
Le sport le plus violent est le pancrace qui oppose deux lutteurs. Tous les coups sont permis, sauf de mordre l'adversaire ou de lui crever les yeux ! Le combat cesse quand l'un des participants, épuisé, lève le bras.

Ni or ni argent

Quelle récompense pour les champions : une médaille ou une somme d'argent ? Ni l'une ni l'autre. Si tu étais le vainqueur de l'une des épreuves, tu ne recevrais solennellement, à la fin des jeux, qu'une simple couronne d'olivier. Mais qu'importe. De retour dans ta cité, tu serais couvert de gloire et peut-être qu'on te sculpterait même une statue !

Alexandre, monté sur son cheval Bucéphale, est à la tête de la meilleure armée du monde.

Un roi à la conquête du monde

Qui est donc Alexandre, ce jeune roi de 22 ans, hissé sur son cheval que lui seul a su dresser ? Qui est-il pour partir ainsi à la tête d'une armée de 50 000 hommes afin de conquérir les immenses territoires du roi des Perses ?

Une audace incroyable

En 336 av. J.-C., Alexandre succède à son père Philippe II, souverain de la Macédoine. Situé au nord de la Grèce, ce royaume finit d'étendre sa domination à toutes les cités grecques jadis indépendantes. À peine monté sur le trône, Alexandre reprend à son compte le grand projet de son père : la conquête de l'empire perse. À la cour macédonienne de Pella, il a été préparé à son métier de roi. Ses professeurs, comme le grand philosophe grec Aristote, ont formé son esprit et son corps, et ont décelé en lui les qualités d'un guerrier exceptionnel. En 334 av. J.-C., il est prêt à affronter la colossale armée perse forte de 250 000 hommes.

Les troupes d'Alexandre affrontent, aux portes de l'Inde, le redoutable roi Poros et ses éléphants de guerre.

18 000 km à pied ou à cheval

Pendant dix ans, Alexandre vole de victoire en victoire. Sa conquête est fulgurante ! Il libère les cités grecques d'Asie, soumet les riches villes de Phénicie, conquiert l'Égypte où il se fait proclamer pharaon, et y fonde la nouvelle capitale, Alexandrie. Au cœur de l'empire perse, il contraint à la fuite le roi Darius III et s'empare des capitales les unes après les autres : Suse, Babylone, Persépolis… C'est une marche triomphale ! Mais le conquérant ne veut pas s'en tenir là : il rêve d'atteindre la limite des terres alors connues. Il se dirige vers l'Inde où, d'après les géographes qui l'accompagnent, se trouve l'extrémité du monde. Il traverse les déserts, franchit les montagnes et parvient jusqu'au bord de l'Indus. Là, en 325 av. J.-C., après une terrible bataille livrée contre le roi Poros, son armée, victorieuse mais harassée, refuse de poursuivre la marche. À contrecœur, Alexandre prend le chemin du retour et regagne Babylone.

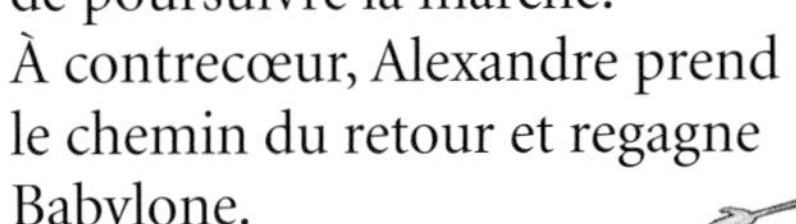

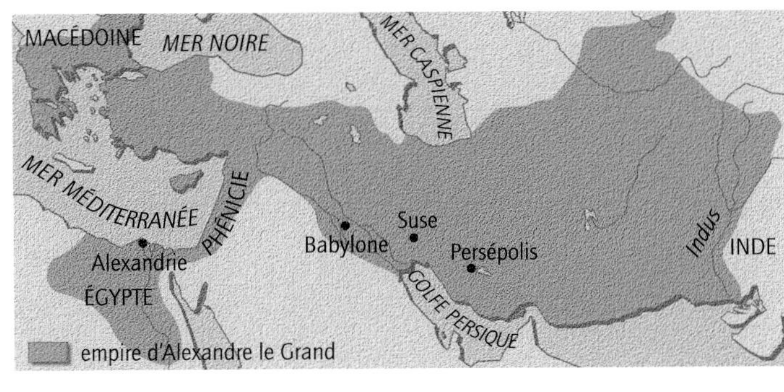

Guerrier perse foulé aux pieds par un éléphant de guerre indien.

Le roi est mort

Depuis Babylone, sa capitale, Alexandre le Grand gouverne son immense empire et jette les bases d'une politique révolutionnaire en fusionnant Grecs et Perses en un même ensemble. Sur le modèle grec, des villes sont fondées et des monnaies frappées. Fonctionnaires et soldats perses intègrent l'administration et l'armée. Mais brutalement, la maladie frappe le conquérant et l'emporte en 323 av. J.-C., à l'âge de 32 ans. Parmi ses généraux, aucun n'est capable de prendre sa succession. Pendant quarante ans, ils s'affrontent et se partagent tous les territoires conquis qui deviennent des royaumes distincts. Vers 280 av. J.-C., l'unité de l'empire est définitivement brisée.

Drôle de butin de guerre

Pendant leur expédition, les soldats grecs sont accompagnés de nombreux savants chargés d'étudier la faune et la flore des pays conquis. Ils découvrent ainsi et rapportent en Europe des dizaines de plantes et d'animaux inconnus. C'est grâce à eux que tu connais par exemple le pêcher, le citronnier et le riz, ainsi que le canard de Barbarie et le faisan.

Merveilleuse Grèce !

Entre le Vᵉ et le IIIᵉ siècle av. J.-C., la civilisation grecque n'a jamais été aussi brillante. La Grèce rayonne de mille feux grâce à ses penseurs, ses écrivains, ses savants et ses artistes. Le théâtre, l'histoire et la philosophie naissent, les sciences progressent… Cette incroyable ébullition intellectuelle est sans précédent.

Le philosophe et le comédien

Le philosophe, "l'ami de la sagesse" en grec, s'interroge sur le monde, l'homme, la vérité, le bien… Socrate, qui vit au Vᵉ siècle av. J.-C. à Athènes, aime discuter avec ses disciples pour leur apprendre à réfléchir sur tous ces thèmes. Après lui, Platon et Aristote fondent les deux premières écoles de philosophie. Le comédien, lui, met en scène les récits mythologiques ou l'actualité de l'époque. Il se produit au théâtre, en plein air, face aux spectateurs assis sur des gradins et réunis lors des fêtes données en l'honneur de Dionysos, dieu de la vigne et des arts. Du lever du jour jusqu'au soir, un nombreux public assiste aux spectacles qui se succèdent et applaudit les tragédies d'Eschyle ou de Sophocle, et les comédies d'Aristophane.

Socrate

Les comédiens portent des masques.

L'historien et le savant

L'Histoire devient une nouvelle discipline avec Hérodote et ses *Histoires*, mot grec signifiant "enquêtes". Il y relate les guerres médiques et donne de nombreuses informations sur les peuples, leur vie, leurs croyances… Après lui, Thucydide va plus loin en cherchant à analyser les événements.

Quant aux savants, sur la trace de Thalès de Milet et de Pythagore, au VIe siècle av. J.-C., ils cherchent des explications raisonnées aux phénomènes naturels. D'immenses progrès scientifiques sont accomplis. Euclide établit les grands principes de la géométrie, Ératosthène démontre que la Terre est ronde et Archimède fait éclater son génie. À la fois mathématicien, astronome et physicien, ce dernier invente le planétarium, expérimente dans sa baignoire le principe qui porte son nom et imagine différents engins de guerre : catapultes ou miroirs pour incendier les navires romains.

Statue de bronze de l'Aurige de Delphes, un conducteur de char.

L'artiste et le beau

Les artistes définissent un idéal de beauté et d'harmonie à travers les monuments qui ornent les cités : temples, gymnases, théâtres en pierre. Au Ve siècle av. J.-C., les sculpteurs comme Phidias, Polyclète et Myron façonnent la pierre et le bronze pour représenter d'admirables statues aux corps dotés de proportions exactes et animés de mouvements naturels. Praxitèle ou Lysippe réalisent leurs chefs-d'œuvre au siècle suivant.

La Vénus de Milo sculptée dans le marbre.

Alexandrie la grande

Si au Ve siècle av. J.-C., Athènes est de loin la cité grecque la plus rayonnante, elle est évincée deux cents ans plus tard par Alexandrie d'Égypte fondée par Alexandre le Grand en 332 av. J.-C. Cette dernière, avec une population d'un million d'habitants, est la cité la plus peuplée. Son phare, une des Sept Merveilles du monde, signale l'entrée du port (*voir p. 79*). Mais surtout, elle est le plus grand centre intellectuel du monde grâce à son musée et à sa bibliothèque où s'entassent 700 000 rouleaux de papyrus contenant tout le savoir de l'époque.

Les Sept Merveilles du monde

La Mésopotamie, l'Égypte et la Grèce ont légué à l'humanité des monuments exceptionnels. Leur réalisation ou leur décor somptueux représentaient une telle prouesse technique que leurs contemporains les ont appelés "Merveilles du monde". Hélas, il n'en reste plus grand-chose…

La pyramide de Khéops

Tel un diamant posé au milieu du désert, sa masse de pierre de 230 m de côté et 146 m de haut abrite le tombeau du pharaon Khéops depuis 2566 av. J.-C. environ. Même si les pierres de calcaire qui la recouvraient et le pyramidion qui la coiffait ont disparu, elle est la seule des Merveilles encore visible aujourd'hui.

Les jardins suspendus de Babylone

Aménagés par Nabuchodonosor II au VIe siècle av. J.-C., ils frappaient d'étonnement les voyageurs qui, venant du désert, découvraient la végétation foisonnante ornant les terrasses de briques rouges du palais. Ces jardins étaient arrosés grâce à des canaux.

La statue de Zeus à Olympie

Comme il l'avait fait pour Athéna au Parthénon, le sculpteur Phidias réalisa cette statue vers 430 av. J.-C. pour le temple d'Olympie. Haute de 12 m, elle était recouverte de panneaux d'or et d'ivoire. Déménagée quelques siècles plus tard à Constantinople, elle fut détruite au Ve siècle lors d'un incendie.

Le temple d'Artémis à Éphèse

Dans la riche cité grecque d'Asie Mineure (actuelle Turquie), se dressait depuis 450 av. J.-C. un temple dédié à Artémis. Bâti entièrement en marbre, il fut incendié le jour de la naissance d'Alexandre le Grand. Reconstruit peu après de manière encore plus grandiose, avec 194 colonnes, il fut définitivement détruit au IIIe siècle ap. J.-C.

Le mausolée d'Halicarnasse

Le tombeau de Mausole, roi de Carie, en Asie Mineure, était si grandiose que l'on a adopté le nom de mausolée pour désigner toute construction funéraire imposante. Il fut édifié au IVe siècle av. J.-C. à Halicarnasse, capitale de la Carie, par la sœur et épouse du roi. Un séisme le détruisit au XIVe siècle.

Le colosse de Rhodes

Cette gigantesque statue en bronze représentant Hélios, le dieu solaire, dominait du haut de ses 32 m l'entrée du port de Rhodes, une grande île grecque. Sculptée vers 292 av. J.-C. par Charès de Lindos, elle fut renversée par un tremblement de terre soixante-cinq ans plus tard. En application d'un oracle de Delphes, elle ne fut pas relevée.

Le phare d'Alexandrie

Élevée sur l'île de Pharos face à la cité d'Alexandrie d'Égypte, cette construction destinée à guider les navires a donné le mot "phare". À partir de 280 av. J.-C., un feu que l'on voyait de loin brûlait la nuit à son sommet. Cette tour haute de 134 m tomba en ruine à la suite de deux tremblements de terre aux XIIe et XIVe siècles.

La naissance de Rome

Qui aurait pu prévoir le destin exceptionnel de cette modeste cité située entre les montagnes de l'Apennin et la côte méditerranéenne ? Personne, car ses débuts sont bien modestes, même si des légendes les enjolivent quelque peu…

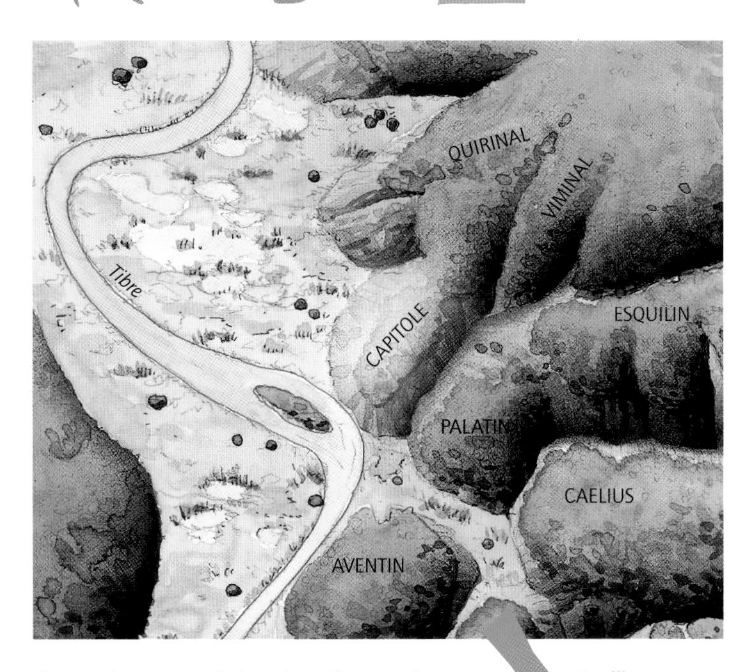

Les sept collines de Rome, dans la vallée du Tibre.

Rome avant Rome

À partir du XIe siècle av. J.-C., des paysans et des bergers commencent à s'installer dans la plaine du Latium, au cœur de l'Italie, sur les flancs des sept collines bordant le Tibre. Ils édifient des cabanes d'argile, de bois et de chaume, et cultivent des céréales. Les habitations se multiplient vers 750 av. J.-C., formant de petits villages. Environ un siècle plus tard, un pont de bois est jeté sur le Tibre.

Une fondation légendaire

Des historiens romains, Virgile et Tite-Live, ont recours à des légendes pour raconter les origines de Rome. D'après leurs écrits, Énée, un prince de la ville de Troie, débarque vers 1100 av. J.-C. sur les côtes du Latium. Ses lointains descendants, les jumeaux Remus et Romulus, sont abandonnés dans un panier et jetés dans les eaux du Tibre. Leur couffin s'échoue sur une rive où une louve les allaite jusqu'à ce qu'ils soient recueillis par un berger. En 753 av. J.-C., devenus adultes, ils fondent une ville à l'emplacement où la louve les a sauvés. Mais une dispute éclate, Romulus tue son frère et devient le roi de la cité à laquelle il donne son nom.

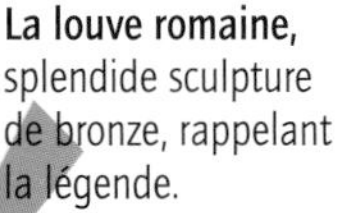

La louve romaine, splendide sculpture de bronze, rappelant la légende.

Le fin mot de l'histoire

Des vestiges retrouvés sur les collines montrent que le récit légendaire s'est inspiré de la réalité. Des fragments de poterie grecque prouvent l'existence d'échanges entre la Grèce et le Latium à l'époque d'Énée. Des urnes en terre cuite contenant les cendres des défunts ainsi que des restes d'emplacement de cabanes datant du VIIIe siècle av. J.-C. ont été découverts sur le Palatin, l'une des sept collines de Rome. Entre 700 et 650 av. J.-C., une partie de la plaine jusqu'alors marécageuse est rendue habitable grâce à des travaux. Les villages disséminés sur les hauteurs se réunissent alors pour ne former qu'une seule cité : Rome. Cette dernière sort de l'ombre et devient une ville digne de ce nom, probablement fortifiée. Protégée par ses collines, elle peut dès lors tirer profit de son excellente position, sur les rives du Tibre et au carrefour des voies de communication entre le Nord et le Sud.

Les Latins recueillent les cendres de leurs morts dans des urnes.

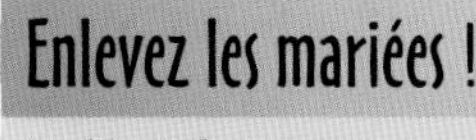

Enlevez les mariées !

La légende raconte que la population de Rome, peu après sa fondation, est essentiellement masculine : la cité manque cruellement de femmes ! Romulus imagine alors un piège. Il invite les Sabins, un peuple voisin, à une grande fête. Au cours de celle-ci, les Romains se jettent sur les jeunes étrangères et les enlèvent. Furieux, les Sabins entrent en guerre contre les ravisseurs. Mais les Sabines, bien traitées par leurs époux, parviennent à réconcilier les deux peuples. La paix est signée et, à partir de ce jour, la population de Rome double.

Les cabanes sont faites de bois, d'argile et couvertes d'un toit de chaume.

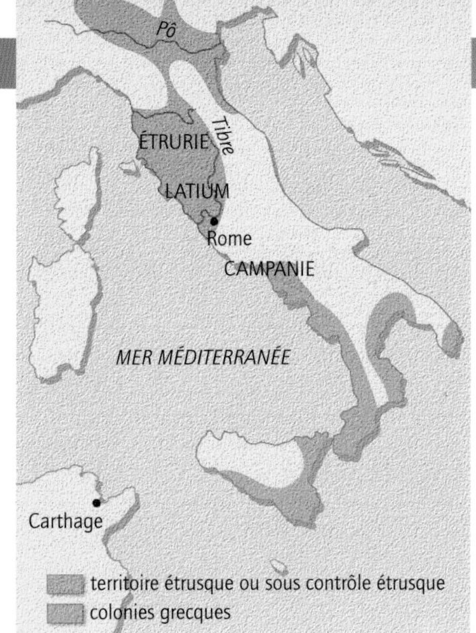

Mystérieux Étrusques

Ce sont eux qui font sortir Rome de l'ombre. Pendant des siècles, ils dominent une partie de l'Italie et y imposent leur mode de vie. Mais ils restent mal connus : leur origine est une énigme et leur écriture demeure indéchiffrable !

Qui sont les Étrusques ?

Nul ne sait vraiment d'où ils viennent. Ils doivent leur nom à l'Étrurie, la région de l'Italie de l'Ouest où ils s'installent vers 1200 av. J.-C. Là, ils tirent profit de leur territoire. Des mines, ils extraient le fer, l'étain, le cuivre et le plomb pour façonner des armes et des objets dont la réputation s'étend bien au-delà de l'Italie. À l'aide de canalisations souterraines, ils assèchent les sols pour les cultiver. Grands marins également, ils commercent avec les autres pays méditerranéens. La richesse et l'habileté des Étrusques se manifestent surtout dans les cités qu'ils construisent et organisent.

À l'assaut de l'Italie

Au VIIe siècle av. J.-C., les cités étrusques s'unissent et envoient leurs guerriers faire la conquête du Nord de l'Italie, jusqu'à la plaine du Pô.
Les soldats s'emparent ensuite, vers le sud, de la plaine du Latium.
En 616 av. J.-C., un roi étrusque s'installe sur le trône de Rome.
Sur leur lancée, les guerriers soumettent la Campanie.
Mais ils se heurtent aux colons grecs installés le long des côtes méridionales et sont chassés au Ve siècle av. J.-C.

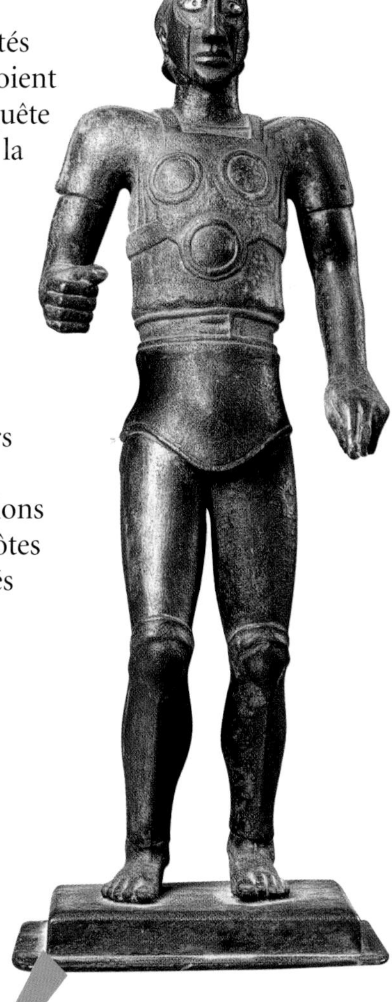
Guerrier étrusque vêtu d'une solide armure de métal.

Héritage tous azimuts

Même après leur effondrement, les Étrusques continuent de marquer les cités qu'ils ont dominées. Les Romains leur doivent la technique de construction des voûtes, l'habitude de consulter les dieux en interprétant leurs signes, les jeux sanglants du cirque et les courses de chars, divertissement favori des rois étrusques. Ils adoptent aussi la toge, un grand morceau de tissu dont ils se drapent, et le faisceau, une hache entourée de longues baguettes, signe de ralliement des soldats étrusques. Les Romains en feront l'emblème de la République.

Dans les banquets, les convives se tiennent allongés sur le côté, comme les Grecs.

D'un village, ils font une cité

Pendant plus d'un siècle, les Étrusques sont les maîtres de Rome. Gouvernée par des rois et certains de leurs seigneurs détenant de vastes propriétés agricoles, la cité est embellie par de nombreux travaux. Une imposante muraille, le mur de Servius Tullius, la protège. Un égout, la Cloaca Maxima, l'assainit et de belles maisons en pierre s'élèvent, remplaçant peu à peu les cabanes des Romains. À proximité du Forum, des temples sont bâtis pour vénérer les plus grands dieux étrusques : Jupiter, Junon et Minerve. Malgré cet essor, les riches familles romaines acceptent mal la domination étrusque. Le peuple se révolte et chasse le dernier roi. La République est proclamée en 509 av. J.-C.

Vivent les femmes !

Les femmes étrusques bénéficient d'une liberté et d'une indépendance qui scandalisent Grecs et Latins. Elles peuvent se rendre aux spectacles et participer aux banquets, accoudées sur une banquette aux côtés de leur mari. Dans les tombes, les inscriptions mentionnent le nom du père du défunt mais aussi celui de sa mère. Une telle égalité entre hommes et femmes est unique dans l'Antiquité !

Conquérante République !

À l'heure où les Athéniens inventent la démocratie, les Romains chassent les rois étrusques et mettent en place la première République de l'Histoire. Finie la tyrannie ! Pendant environ quatre cents ans, le pouvoir est détenu par les citoyens mais est exercé par les représentants qu'ils élisent.

Rome, la républicaine

Le pouvoir appartient en principe au peuple romain. Mais, en réalité, il est accaparé par les patriciens, les riches familles qui possèdent les terres et les troupeaux. C'est d'elles que sont issus les deux consuls, qui gouvernent la cité pour un an, et les trois cents membres du Sénat. La grande majorité des citoyens forme la plèbe, composée d'une foule de paysans, de marchands et d'artisans. Exclus du pouvoir, ces hommes doivent lutter longtemps pour obtenir l'égalité politique. Après diverses réformes lentement mises en place, la République devient l'affaire de tous vers 300 av. J.-C., mais les patriciens restent cependant favorisés.

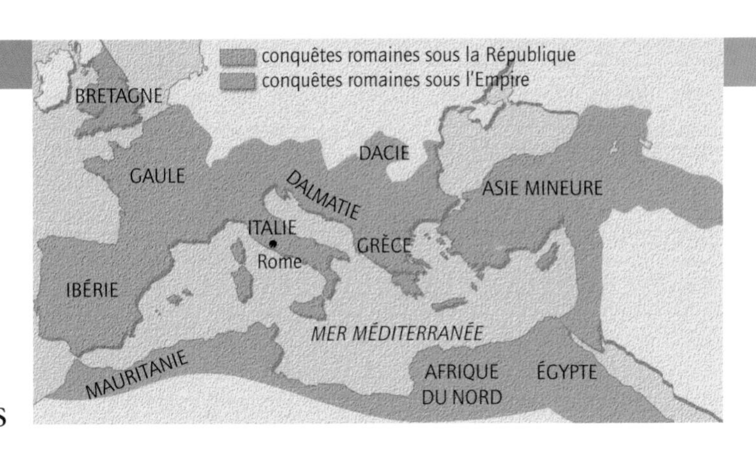

La Méditerranée, lac romain

Rome, petite cité du Latium, met moins de quatre siècles, entre 400 et 30 av. J.-C., pour imposer sa loi à tout le pourtour méditerranéen. Son secret ? Une armée de légionnaires où règne une discipline de fer. Bien équipée et solidement encadrée par ses généraux, elle se lance à l'assaut de l'Italie puis détruit Carthage au terme des guerres puniques (*voir p. 53*). En Orient, elle s'empare de certains des anciens royaumes issus des conquêtes d'Alexandre le Grand. En Occident, elle se rend maîtresse de l'Ibérie (l'Espagne actuelle), de la Gaule et d'une partie de l'Afrique du Nord. Au Ier siècle av. J.-C., les Romains surnomment la Méditerranée *mare nostrum* : “notre mer”. Les territoires conquis sont organisés en provinces. Les populations soumises doivent payer de lourds impôts.

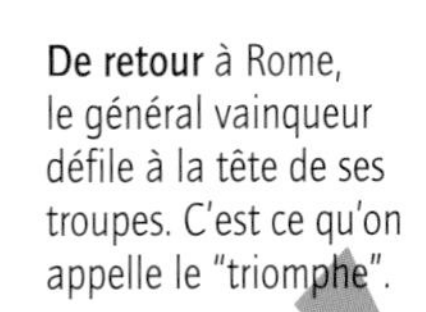

De retour à Rome, le général vainqueur défile à la tête de ses troupes. C'est ce qu'on appelle le “triomphe”.

Le 15 mars de l'an 44 av. J.-C., César est assassiné à coups de poignard en pleine séance du Sénat, à Rome.

La République en danger

Au Ier siècle av. J.-C., la République sombre dans l'anarchie, les guerres civiles se succèdent. Les institutions ne sont plus adaptées pour gouverner un empire de plus de 50 millions d'habitants. Les dirigeants ne peuvent rien faire face à l'ambition dévorante des généraux qui cherchent à prendre le pouvoir en s'appuyant sur leurs armées. Tour à tour, des généraux comme Sylla et Pompée obtiennent les pleins pouvoirs pendant que leurs partisans et leurs adversaires s'entretuent. César, vainqueur de la Gaule (*voir p. 110-111*), encore plus ambitieux que les autres, cumule tous les titres et honneurs. Soupçonné de vouloir devenir roi, il est assassiné en 44 av. J.-C. La République à l'agonie ne peut éviter de nouveaux troubles. En 31 av. J.-C., Octave prend seul les rênes du pouvoir, rétablit l'ordre et met fin au régime républicain.

Ave César !

Né en 101 av. J.-C., César est à la fois un grand homme politique, un brillant stratège militaire et un meneur d'hommes. Il s'allie avec les personnages les plus influents, acquiert d'importantes richesses, organise des fêtes grandioses pour se faire aimer du peuple. Vainqueur de Vercingétorix et amant de Cléopâtre, il gagne un prestige immense. Mais les sénateurs, craignant qu'il ne mette fin à la République, le tuent de vingt-trois coups de poignard. Parmi eux, se trouve Brutus, son fils adoptif.

Réunie devant l'autel de la maison, la famille récite des prières et fait des offrandes.

Des dieux par milliers

On en compte plus de trente mille et chacun agit selon sa spécialité. Aux dieux nationaux qui veillent sur tout l'empire s'ajoutent les dieux de la maison éloignant les mauvais esprits, et la multitude des forces présentes partout, dans les arbres, les rivières, les portes… Sans compter les nouvelles divinités adoptées au fil des conquêtes !

À la maison…

Les premiers dieux vénérés par les Romains sont ceux qui protègent la famille. Dans chaque maison, on dépose sur l'autel domestique des offrandes au dieu Lare, le protecteur du foyer. On prie aussi les Pénates, qui veillent sur les vivres, et les Mânes représentant les âmes des ancêtres. Le père de famille est considéré comme un prêtre. Il est chargé de présider le culte.

Jupiter, père et roi des dieux, veille sur Rome.

… comme à la cité

Au contact des peuples conquis, les croyances des Romains se transforment et s'enrichissent. Ils mêlent leurs dieux à ceux des Grecs dont les noms et parfois les fonctions sont modifiés. Ainsi, Jupiter, Junon et Minerve – assimilés à Zeus, Héra et Athéna – sont les trois dieux principaux honorés à Rome et dans toutes les cités de l'empire. Pour eux, et pour les autres, sont organisées de grandes cérémonies publiques auxquelles participent le peuple et les magistrats.

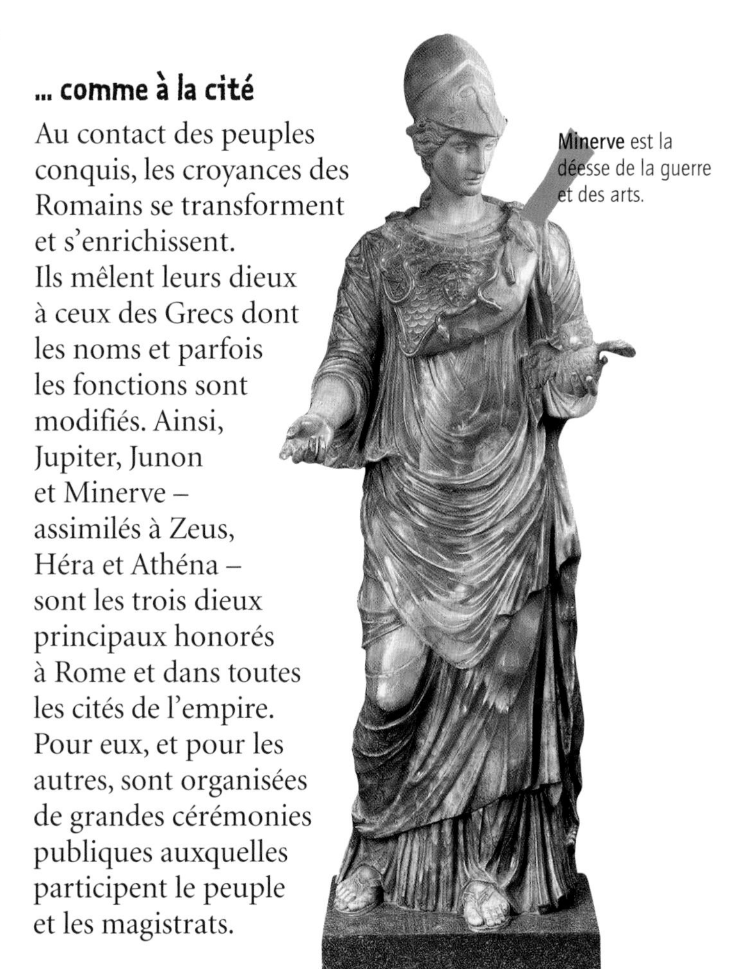
Minerve est la déesse de la guerre et des arts.

Devant le temple, un prêtre s'apprête à sacrifier un bœuf paré de guirlandes.

Que de fêtes !

Au début de l'Empire, on compte à Rome et dans toutes les cités plus de cent jours fériés par an, consacrés pour la plupart à des fêtes religieuses qui prennent généralement la forme de jeux publics. Il faut y ajouter les jours néfastes : ceux pendant lesquels les dieux interdisent toute activité. C'est l'empereur qui les détermine après avoir consulté ses augures.

Elles sont présidées par des prêtres et elles s'achèvent par des sacrifices d'animaux devant les temples construits sur le modèle grec. Des divinités orientales, comme la déesse égyptienne Isis ou le dieu perse Mithra, sont aussi adoptées. À partir du Ier siècle, les empereurs deviennent des dieux à leur mort et font l'objet d'un culte obligatoire. En leur honneur, des temples sont édifiés et des statues sculptées.

Junon, l'épouse de Jupiter, est particulièrement vénérée par les femmes mariées.

Les dieux vous bénissent !

Pour respecter l'ordre du monde voulu par les dieux, les Romains pensent qu'ils doivent essayer de connaître leur volonté avant d'entreprendre toute action. Dans ce but, ils consultent des prêtres, les augures, qui observent et interprètent les présages donnés par le vol des oiseaux, la forme des nuages, les éclairs ou l'appétit des poulets sacrés. Ils ont aussi recours à des devins, appelés haruspices, qui examinent les entrailles, et surtout le foie, des animaux offerts en sacrifice.

Un augure en pleine contemplation du ciel.

Dur, dur, le métier de vestale

Près du Forum, la grande place publique de Rome, s'élève un temple rond dédié à Vesta, la déesse qui symbolise la cité. Un feu sacré y brûle en permanence, entretenu par sept jeunes filles, les vestales, choisies à l'âge de 10 ans parmi les plus grandes familles romaines. Pendant trente ans, elles s'engagent à vivre isolées, à l'abri de tous les regards. Si l'une d'entre elles manque à sa parole, elle est enterrée vivante !

Rome, l'impériale

Au IIe siècle ap. J.-C., l'empire romain n'a jamais été aussi vaste et sa capitale aussi riche. Avec plus d'un million d'habitants, elle est la ville la plus peuplée du monde. Lieu de résidence de l'empereur, centre du gouvernement, Rome est la reine des cités.

Octave ou Auguste ?

Né en 63 av. J.-C., Octave est à la fois le petit-neveu de César et son fils adoptif. Avec l'aide des excellents généraux qui le soutiennent, il met fin à la guerre civile en 31 av. J.-C. Et grâce à son sens politique, il concentre peu à peu tous les pouvoirs. En 27 av. J.-C., il reçoit le titre d'Auguste, c'est-à-dire "le majestueux". Au cours de son long règne d'empereur, il établit la paix et l'ordre à l'intérieur des frontières de l'empire. Il meurt en 14 ap. J.-C., auréolé d'un grand prestige.

L'empereur Auguste dans la majesté de son uniforme de chef de l'armée.

Un seul chef : l'empereur

En 27 av. J.-C., Octave fonde le régime impérial et prend le nom d'Auguste. Comme tous ses successeurs, il exerce un pouvoir sans partage. Il dirige l'administration et la justice. Il nomme les hauts fonctionnaires qui le représentent dans les provinces. Il commande l'armée avec le titre d'imperator, mot qui a donné "empereur". Il est également chef de la religion. À Rome, son palais est à la fois son lieu de résidence et le cœur du gouvernement.

Rome, ville éternelle

Les vastes programmes de construction et les grands incendies de 64, 80 et 104 remodèlent à plusieurs reprises le visage de la ville. Les quartiers du Forum et du Capitole, centres de l'activité politique et religieuse, se couvrent dès le début de l'Empire de multiples bâtiments où s'enchevêtrent temples, arcs de triomphe, colonnes, statues et basiliques, de vastes édifices publics où la justice est rendue. Plus loin, les constructions les plus imposantes sont les aqueducs qui acheminent l'eau, les thermes ou bains publics, le Grand Cirque où ont lieu les courses de chars, et l'immense amphithéâtre du Colisée.

Maquette du centre de la Rome antique.

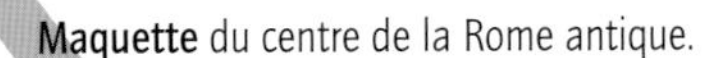

Dans l'agitation des rues

Les Romains les plus fortunés habitent de vastes maisons dans les quartiers du centre. Mais la plupart s'entassent dans des immeubles souvent en bois, hauts de trois à cinq étages, sans confort, qui parfois s'écroulent ou prennent feu. Le rez-de-chaussée, occupé par des boutiques, donne sur des rues étroites, boueuses, encombrées d'ordures jetées par les fenêtres et embouteillées par la foule des passants, des marchands ambulants et des chaises à porteurs. La circulation des chars et charrettes n'est même autorisée que la nuit. L'eau est courante à Rome, ce qui est un grand luxe pour l'époque. Elle arrive des canalisations souterraines vers les riches maisons, ainsi que vers les cinq cents fontaines de la ville et les nombreuses toilettes publiques.

Le Forum, cœur de la ville, au pied du Capitole et du Palatin.

Direction : le centre du monde

Je te présente la toute première borne kilométrique : une colonne de 3 m de haut qu'Auguste a fait dresser au cœur du Forum. C'est à partir de ce milliaire doré qu'étaient calculées en milles (1 481 m) les distances séparant Rome des principales villes de l'empire. Comme une immense toile d'araignée, toutes les routes convergeaient vers la capitale.

Sous le soleil de Pompéi

Le 24 août 79, le volcan du Vésuve, situé au sud de Rome, entre en éruption et se déchaîne. Peuplée de 20 000 habitants, la cité de Pompéi – résidence d'été des Romains – cesse de vivre, ensevelie sous plus de 3 m de cendres. Dix-sept siècles plus tard, les archéologues commencent à déblayer la ville. Presque intacte, elle nous réapparaît…

Du pain tout chaud
Dans le four de l'une des nombreuses boulangeries de Pompéi, ce pain rond divisé en huit portions était en train de cuire. Auparavant, la farine avait été moulue dans des meules actionnées par des esclaves ou par un animal (âne ou cheval), puis elle avait été pétrie.

Passages piétons
Bien entretenues, les rues de la ville étaient toutes pavées. Par endroits, de grosses pierres posées en travers de la chaussée permettaient aux piétons de traverser à pied sec en cas de pluie. Ce qui n'empêchait pas le passage des chars grâce à l'écart prévu entre les pierres.

Où avez-vous mal ?
Avec des instruments de chirurgie comme le scalpel, les pinces, les ciseaux en fer ou en bronze, les sondes... les chirurgiens savaient effectuer diverses opérations : remise en place des os fracturés, extraction de corps étrangers, amputations. Mais ils n'avaient aucun médicament efficace pour apaiser la douleur ni anesthésier leurs patients !

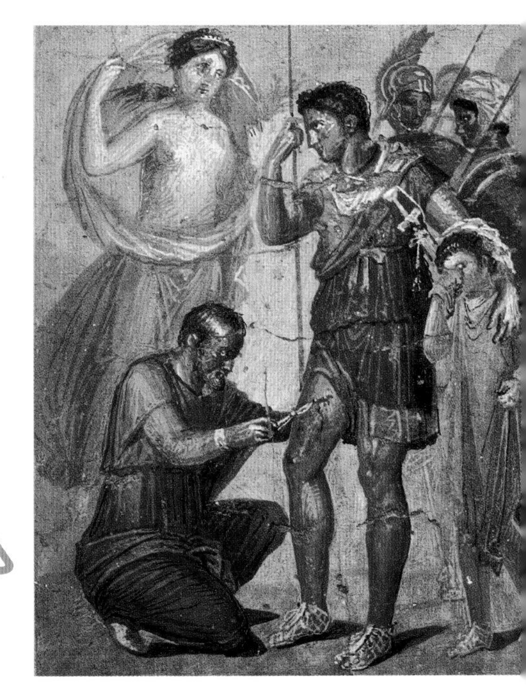

Attention, chien méchant !
Cette célèbre mosaïque portant l'inscription *Cave canem* ("Attention au chien") ornait l'entrée d'une maison. Des chiens gardaient les plus riches demeures pour dissuader les voleurs d'y pénétrer.

Un bon bain chaud-froid
En fin d'après-midi, hommes et femmes se retrouvaient dans les trois thermes de la ville, dans des espaces séparés. Après avoir fait du sport et s'être décrassés avec un racloir, ils plongeaient dans la baignoire d'eau chaude du *caldarium*. Dans le *tepidarium*, la salle tiède, la température était moins élevée. Le bain froid du *frigidarium* donnait, pour finir, une sensation de bien-être prolongée par les épilateurs, les masseurs et les parfumeurs.

Quel banquet !
Dans le *triclinium*, la salle à manger sans fenêtre, les riches invités prenaient place sur des banquettes où ils se tenaient allongés pour manger. Le banquet du soir, la *cena*, commençait à la tombée de la nuit et pouvait durer des heures. Après chaque plat, un esclave lavait les mains des invités, qui mangeaient sans couverts, et des artistes - musiciens, acrobates et jongleurs - venaient souvent les distraire.

L’armée en campagne

Pendant l’Empire, 300 000 soldats forment l’armée la plus puissante du monde, qui doit à la fois conquérir de nouveaux territoires, monter la garde aux frontières et écraser les révoltes. Elle fait de la guerre une véritable science.

Ces légionnaires romains sont regroupés autour de leur enseigne. Elle leur permet de reconnaître leur troupe pendant la bataille.

Profession : soldat romain

L’armée impériale est composée de soldats professionnels recrutés parmi les volontaires des provinces de l’empire. Ils s’engagent pour au moins dix ans. Ils reçoivent une solde, sont logés, nourris, vêtus et soignés. Ils jurent fidélité à leur général et doivent se soumettre à une discipline très stricte. En cas de faute, ils risquent la bastonnade ou la mort. Postés dans des camps, les jeunes soldats s’entraînent sans cesse à manier les armes et à faire des marches forcées. Trois fois par mois, ils parcourent 30 km à pied en portant leur équipement complet qui pèse plus de 35 kg : de la nourriture pour deux ou trois jours, des ustensiles de cuisine, des piquets et des peaux de bêtes pour monter leur tente, des outils et leurs armes !

Organisés pour gagner

Pendant les campagnes militaires, les soldats s’installent dans des camps fortifiés qu’ils construisent entièrement. Tous bâtis sur le même plan et couvrant une vingtaine d’hectares, ces camps sont protégés par un fossé et entourés d’un solide rempart de bois, flanqué de tours et percé de portes. Lorsqu’une attaque survient, les soldats se rangent en ordre de bataille et obéissent au doigt et à l’œil à leur centurion, l’officier qui commande cent hommes. Celui-ci exécute les ordres du tribun militaire qui dirige une cohorte rassemblant six cents soldats. Dix cohortes forment une légion conduite par un légat. L’empereur est le chef suprême de l’armée.

Campagne de l’empereur Trajan contre les Daces (peuple de l’actuelle Roumanie) au début du IIe siècle.

Dans le feu de l'assaut

En rase campagne, les légionnaires affrontent leurs ennemis en bataille rangée avec l'appui de la cavalerie. Protégés par un bouclier, un casque, une cuirasse articulée en métal et des jambières, ils brandissent leur javelot, un long manche en bois prolongé par une pointe de fer. Dans le corps à corps, ils utilisent leur glaive. Devant les villes ou les places fortes qui résistent, ils s'avancent, protégés par leurs boucliers et formant la tortue ①, ou cachés dans des tours mobiles prêtes à s'ouvrir au moment de l'assaut. Pendant ce temps, les armes de jet sont en action. Le scorpion ② tire de longues flèches aux pointes enflammées tandis que l'onagre, une catapulte ③, lance des pierres avec son bras en forme de cuillère. La machine de choc, le bélier ④, force les remparts ennemis. Aucune armée n'a développé à ce degré la science du siège.

Jamais de vacances !

Même en temps de paix, les soldats ne se reposent pas : de nombreuses tâches les attendent et non des moindres. Ce sont eux qui construisent les voies romaines, les ponts et les aqueducs. En remplaçant leurs tentes par des bâtiments en bois puis en pierre, ils transforment également les campements provisoires en camps définitifs qui deviennent, pour certains, des villes. C'est le cas de Pavie, Turin et Aoste en Italie, ou Strasbourg en France.

Du pain et des jeux !

Voilà ce que réclame le peuple romain à son empereur. Et ce dernier, pour le satisfaire, organise à grands frais des jeux, des spectacles publics et gratuits : combats de gladiateurs et d'animaux, courses de chars, pièces de théâtre…

Sortez le grand jeu !

Les plus grands jeux de Rome, offerts par l'empereur Trajan en 109, ont duré 117 jours. Près de 10 000 gladiateurs y ont participé ! Et que dire de l'empereur Commode (180-192) qui s'est mêlé plus de sept cents fois aux gladiateurs pour combattre à leurs côtés dans le Colisée ?

« Salut, César, ceux qui vont mourir te saluent ! » C'est ainsi que les gladiateurs s'adressent à l'empereur en pénétrant dans l'arène. Une foule de 50 000 spectateurs surexcités est massée dans l'énorme amphithéâtre du Colisée. Quand les deux premiers combattants sont tirés au sort, le spectacle peut commencer. Ils doivent porter des armes différentes. Certains, les rétiaires, sont équipés d'un trident et d'un filet pour prendre au piège leur adversaire. D'autres, les Thraces, ont un petit bouclier rond, un sabre court recourbé, un casque et des jambières, tandis que les mirmillons portent un casque surmonté d'un poisson, un bouclier et une petite épée. Ce sont tous des volontaires attirés par les primes, des prisonniers de guerre ou des condamnés. Quand un gladiateur tombe vaincu à terre, la foule en délire hurle dans l'attente du verdict de l'empereur. S'il lève le pouce, le combattant a la vie sauve. S'il l'abaisse, il est mis à mort…

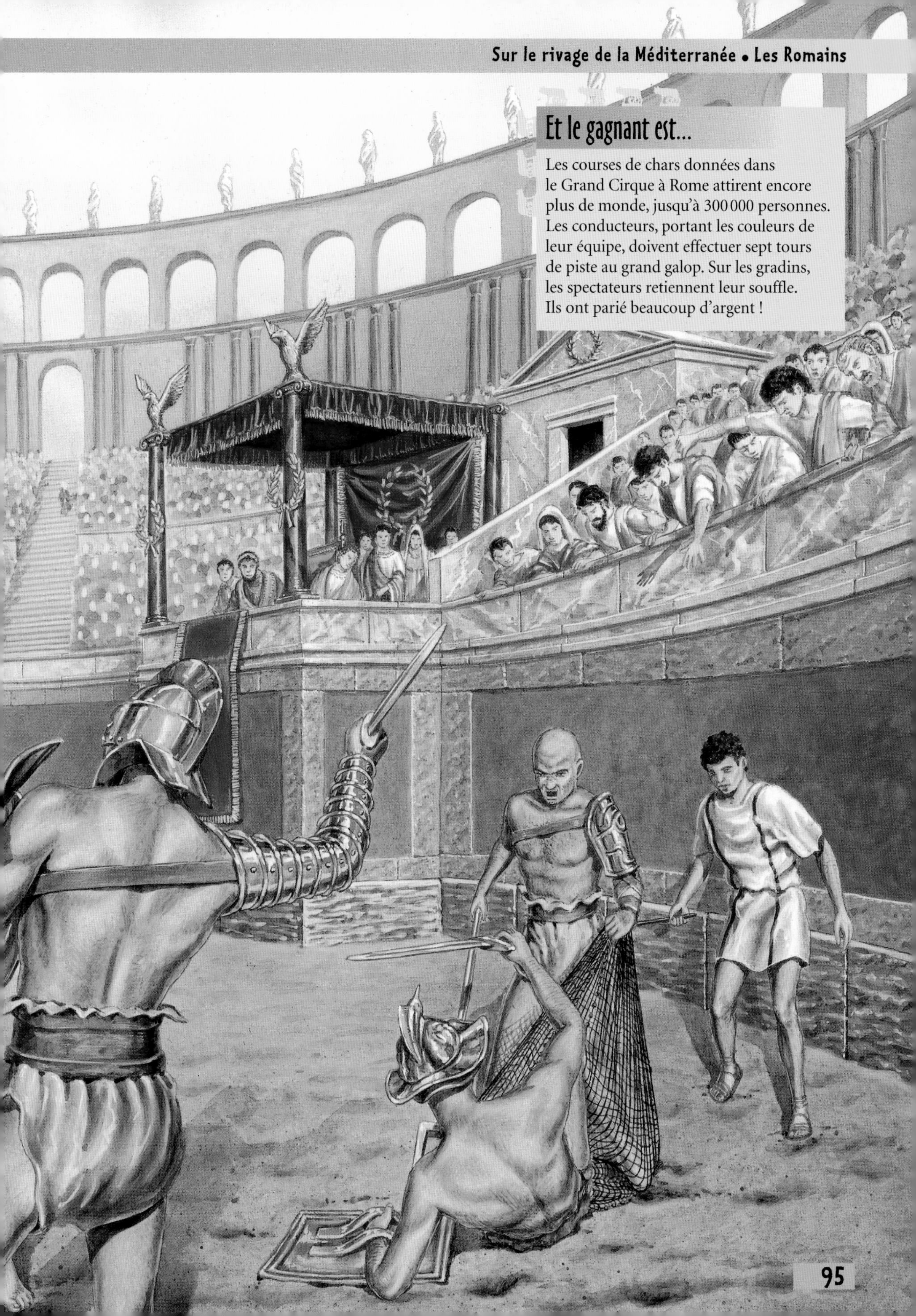

Et le gagnant est...

Les courses de chars données dans le Grand Cirque à Rome attirent encore plus de monde, jusqu'à 300 000 personnes. Les conducteurs, portant les couleurs de leur équipe, doivent effectuer sept tours de piste au grand galop. Sur les gradins, les spectateurs retiennent leur souffle. Ils ont parié beaucoup d'argent !

La mort de l'Empire romain

Vers le milieu du IIIe siècle, l'Empire, jusque-là si puissant, entre dans une période de crises. Les Barbares se ruent aux frontières, les empereurs se succèdent, incapables de mettre fin aux désordres, et les chrétiens, pourtant persécutés, sont de plus en plus nombreux…

Les Barbares forcent les frontières au cours de multiples combats.

Menaces sur l'empire

Les Barbares – tous les peuples dont les Romains ne comprennent pas la langue – se massent aux portes de l'empire. Les Perses multiplient les incursions en Orient à partir de 233 et capturent même l'empereur Valérien en 260. En Occident, les Germains, poussés par des nomades venant d'Asie centrale, forcent les frontières dès 235. La Gaule et même une partie de l'Italie sont ravagées. Les armées romaines, très dispersées et affaiblies par les luttes de pouvoir, parviennent difficilement à repousser ces avancées.

Chrétien livré aux fauves dans l'arène.

Persécutés pour leur foi

Après la mort de Jésus (*voir p. 29*), le christianisme – la nouvelle religion issue de son enseignement – se propage en Palestine, puis rapidement dans tout le Bassin méditerranéen auprès surtout des populations modestes des villes. Les chrétiens se heurtent bientôt à l'hostilité des empereurs. Ces derniers les considèrent en effet comme des ennemis de l'État parce qu'ils rejettent le culte impérial et les dieux romains, et qu'ils refusent d'être enrôlés dans l'armée.

Les croyants sont alors pourchassés et des empereurs comme Néron, Trajan, Marc Aurèle et Dioclétien ordonnent de les persécuter en les faisant arrêter, crucifier ou livrer aux fauves dans les amphithéâtres. Mais en 313, l'empereur Constantin autorise la pratique du christianisme, et en 394, Théodose en fait la seule religion officielle.

La fin d'un grand Empire

Dans l'empire en pleine anarchie, ce sont les soldats, responsables de la défense des frontières, qui proclament ou défont les maîtres de Rome. Au IIIe siècle, soixante empereurs se succèdent et parfois, plusieurs règnent en même temps. À partir de 270, Aurélien, Dioclétien et Constantin tentent une grande réorganisation. En 395, Théodose partage l'empire en deux : l'empire romain d'Orient et l'empire romain d'Occident. Mais aucune réforme n'est suffisante face à la menace des Barbares. Après 400, ceux-ci déferlent en Gaule, pillent Rome en 410 et détrônent le dernier empereur romain d'Occident en 476. Plusieurs royaumes barbares indépendants se mettent en place. En Orient, l'empire romain survit jusqu'en 1453 sous le nom d'empire byzantin, avec Constantinople pour capitale.

Une victoire rêvée

En 312, à la veille d'une bataille décisive, l'empereur Constantin aurait eu une vision : si les deux premières lettres entrelacées du mot Christ étaient peintes sur les boucliers de ses soldats, la victoire lui serait assurée. Munie de ce signe, son armée est en effet victorieuse. Constantin se rallie alors au christianisme et fait du dimanche un jour férié obligatoire. Avant de mourir en 337, il se fait baptiser.

Le 31 décembre 406, les Germains franchissent le Rhin gelé et ravagent la Gaule.

Un riche héritage

Pendant cinq siècles, les Romains imposent à l'Europe leur façon de vivre. Aujourd'hui encore, de multiples marques de leur présence subsistent. Les Européens peuvent ainsi affirmer qu'ils sont tous un peu romains !

À Nîmes, en France, l'amphithéâtre dresse encore sa masse imposante.

La passion de construire

Alors que les Égyptiens et les Grecs construisent pour les morts et les dieux, les Romains bâtissent avant tout pour les vivants. Ils fondent et aménagent dans toute l'Europe des centaines de villes sur le même plan. Autour du forum situé au carrefour des deux rues principales, prennent place la basilique, grande salle de réunion publique, la curie pour les besoins de l'administration, et les temples. Viennent ensuite les bâtiments voués à la détente – thermes, théâtre, amphithéâtre et odéon pour les concerts – sans compter les aqueducs, fontaines et égouts pour le ravitaillement en eau de toute la ville. Grâce à la technique de construction du blocage – mélange de ciment et de graviers recouvert de briques ou de pierres –, les édifices sont solides et leurs formes variées car ils peuvent supporter des arcs, des voûtes ou des coupoles.

L'aqueduc de Ségovie, en Espagne, long de 800 m.

Le théâtre d'Orange, en France, est le mieux conservé de tout l'empire romain.

Et si on parlait latin ?

Du latin, la langue des Romains, proviennent de nombreuses langues européennes comme l'italien, le français, l'espagnol, le portugais ou le roumain. De même, certains de nos noms de mois tirent leur origine de la Rome antique. Mars était consacré à… Mars, le dieu de la guerre, juin à la déesse Junon. Juillet vient de Jules (César) et août était consacré à l'empereur Auguste.

Le premier chauffage central

Les Romains l'ont inventé pour chauffer l'eau des thermes et équiper les maisons dans les régions froides de leur empire. Le sol du rez-de-chaussée reposait sur des piliers et les murs renfermaient des briques creuses. Quand des feux étaient allumés et activés au sous-sol, l'air chaud circulait sous le plancher et dans les briques. On ignore cependant encore comment la température était réglée.

Sur les bornes milliaires, les distances sont indiquées en milles.

La voie Appienne reliait Rome au Sud de l'Italie. Quelques tronçons sont encore utilisés.

Tous les chemins mènent à Rome

Un immense réseau de 90 000 km de voies les plus droites possible relie Rome aux grandes villes de l'empire. Praticables toute l'année, elles sont régulièrement entretenues et servent au déplacement rapide des légions, des marchands et des courriers de la poste impériale. Pour se relayer ou changer de cheval, ces derniers font halte dans les relais qui bordent les routes principales tous les 15 km. Ainsi, ils peuvent parcourir 150 km en vingt-quatre heures. Beaucoup de routes actuelles ou de voies ferrées empruntent leur tracé.

De quel droit ?

Pendant des siècles, un ensemble de lois, de décrets et d'édits écrits constituant le droit romain est appliqué dans toutes les provinces de l'empire. Il garantit la liberté, la propriété et la sécurité des citoyens. Aujourd'hui encore, ces grands principes servent de bases aux lois qui nous gouvernent et nous aident à vivre en société.

Ils nous ont mis sur les rails !

Au passage des chars et chariots, des ornières se creusaient dans la pierre des routes romaines, formant de véritables rails. Aujourd'hui, l'écartement des rails de chemin de fer de la plupart de nos pays d'Europe occidentale correspond à celui des roues des véhicules romains, c'est-à-dire 1,43 m.

L'Europe des Barbares

Longtemps, les Grecs et les Romains tiennent à distance les Celtes et les Germains, ces peuples "barbares" qu'ils méprisent mais avec lesquels ils nouent pourtant de solides relations commerciales. Surgies du centre ou du nord de l'Europe, ces nombreuses peuplades progressent vers l'ouest et le sud dont les terres fertiles et les vastes forêts offrent la promesse de grandes richesses. Après s'être imposées souvent par la force, elles s'installent dans les pays conquis et y répandent leurs croyances, leurs coutumes et leurs techniques. Ensuite, c'est au tour des Vikings d'entrer en scène...

Les Celtes à la conquête de l'Ouest

Casque d'apparat recouvert d'or et d'émail.

Les Celtes font leur entrée dans l'Histoire dès le VIIIe siècle av. J.-C. Originaires du centre de l'Europe, ils entament de longs déplacements vers l'ouest. Ils bénéficient d'une supériorité redoutable sur tous les autres peuples, car ils savent fabriquer des armes avec un métal nouveau et très résistant : le fer.

Collier, ou torque, en or : symbole du pouvoir des princes celtes.

Boucle de harnais en émail.

Ils arrivent !

À partir du VIIIe siècle av. J.-C., les Celtes, divisés en tribus, partent à la conquête de nouvelles terres fertiles. Pendant plusieurs siècles, ils envahissent l'Occident par vagues successives, de façon pacifique ou guerrière. Au cours de cette longue période, la plupart des tribus s'enracinent dans les contrées où elles arrivent, mais d'autres poursuivent leur migration vers le sud et l'est de l'Europe. Elles atteignent ainsi les rives de l'Atlantique et celles de la mer Noire, se répandent jusque dans la péninsule Ibérique et l'actuelle Roumanie.

Le berceau des Celtes

C'est en Europe centrale – et plus précisément dans les territoires actuels de la République tchèque, de l'Autriche, de l'Allemagne et de la Suisse – que les archéologues ont retrouvé les plus anciens vestiges attribués aux Celtes. Il s'agit de tombes surmontées d'un monticule de terre et de pierres. Les princes y étaient enterrés avec leurs armes et leur char, richement parés de colliers, torques, bracelets, ceintures et fibules, sortes de broches en argent ou en bronze. Tout au long de leur histoire, les Celtes ont conservé cette pratique.

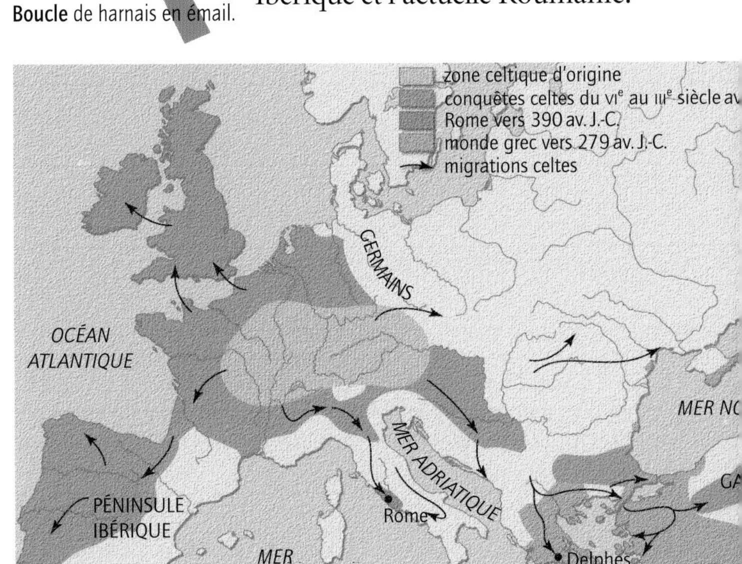

En 390 av. J.-C., 30 000 Celtes déferlent sur Rome, pillent et incendient tout sur leur passage.

Terribles guerriers

Les Romains et les Grecs gardent pendant longtemps le souvenir des raids meurtriers lancés par les Celtes aux IVe et IIIe siècles av. J.-C. Ils sont tout autant épouvantés par les cris de guerre et le son strident des carnyx – des trompettes en bronze –, que par les têtes que les Celtes portent à la ceinture, après avoir décapité leurs ennemis. Ils ne peuvent rien contre le pillage de Rome en 390 av. J.-C. ni contre l'incendie du grand sanctuaire grec de Delphes en 279 av. J.-C. Certains peuples celtes vont encore plus loin et gagnent les rivages de l'Adriatique. D'autres, appelés Galates, c'est-à-dire "braves guerriers", s'établissent en Asie Mineure où ils fondent un royaume qui disparaît peu après. Au IIIe siècle av. J.-C., l'expansion celte est stoppée. Bientôt les Romains, puis plus tard les Germains, occuperont ses territoires. L'Irlande restera le dernier vestige de l' "empire" celte et certaines de ses traditions y seront longtemps conservées.

Coin-coin, voilà les Celtes !

On raconte (légende ou pure invention ?) que ce sont des oies qui auraient repoussé le péril celte à Rome en 390 av. J.-C. Les terribles pillards, déjà maîtres de la ville, cherchaient à s'emparer par surprise de la citadelle située sur la colline du Capitole où les Romains s'étaient réfugiés. Par une nuit claire, les Celtes allaient donner l'assaut en silence quand, soudain, les oies sacrées gardant le temple de Junon poussèrent des cris et battirent des ailes. C'en fut assez pour donner l'alerte !

Au cœur des tribus gauloises

Dans les pays où ils sont installés, comme la Gaule, les Celtes ne forment pas un État unifié. Ils sont divisés en une infinité de tribus regroupées en divers peuples. Parfois alliés mais le plus souvent ennemis, ils se livrent d'incessants combats. Les guerriers tiennent ainsi une place importante dans leur société.

Esclaves et hommes libres

Comme les Égyptiens, les Grecs et les Romains, les Celtes de Gaule – les Gaulois – pratiquent l'esclavage. Mais le nombre de leurs esclaves est moins élevé qu'à Thèbes, Athènes ou Rome. Dans la plupart des cas, ce sont des prisonniers de guerre. Or, les Gaulois laissent rarement la vie sauve à ceux qu'ils ont vaincus ! Au-dessus des esclaves, les hommes libres se partagent en deux groupes : le peuple et les nobles qui détiennent le pouvoir.

Cuirasse en bronze.

La guerre est leur métier

Les nobles sont avant tout des guerriers et des cavaliers. Ils entretiennent des chevaux qu'ils s'entraînent activement à monter depuis leur plus jeune âge. Mais ils se distinguent surtout des autres par leurs richesses.

Ils possèdent de grandes propriétés et ils contrôlent les nombreux échanges commerciaux de l'époque. Ils s'entourent d'esclaves et d'une cour de fidèles, les ambacts, à qui ils accordent leur protection. Ceux-là sont des paysans, des artisans ou des hommes de guerre qui accompagnent leur maître dans ses expéditions. Jusqu'au

Aux armes !

Dans la mêlée indescriptible où les Gaulois aiment se jeter à corps perdu, il est bien difficile d'identifier les armes ! On peut cependant reconnaître l'épée, faite d'une longue lame en fer souple et résistante, et la lance, idéale dans le combat au corps à corps. Pour se protéger : un grand bouclier en bois, qui peut être recouvert de bronze pour les plus riches, et une cuirasse ou un vêtement de cuir renforcé de pièces de métal. Sur la tête, un casque parfois orné de pointes ou de cornes.

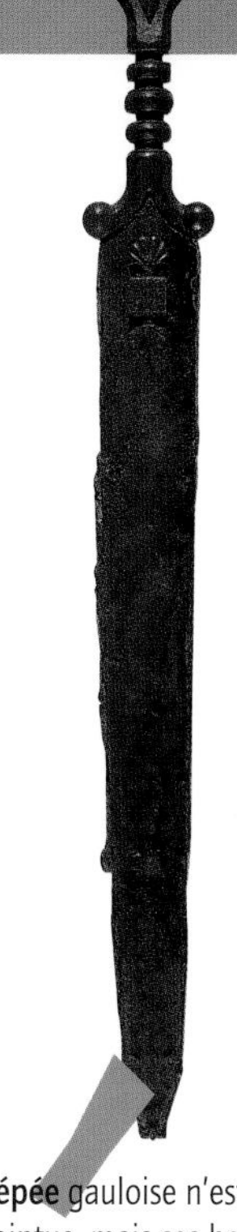

L'épée gauloise n'est pas pointue, mais ses bords sont tranchants.

Le druide : il sait tout !

En langue celte, *druid* signifierait "le très savant". Il peut réciter poèmes et codes de la loi, il connaît les plantes qui guérissent, il prédit l'avenir, il étudie le ciel et fixe le calendrier en calculant les cycles de la lune. Il est à la fois prêtre, juge, arbitre, savant, professeur et garant des traditions. Respecté de tous, son pouvoir est immense et il ne dépend ni d'un roi ni d'un chef de guerre. Dans son village, il préside les cérémonies religieuses car il est considéré comme un intermédiaire entre les dieux et les hommes. Sa formation dure une vingtaine d'années et se fait seulement par oral. Les druides restent entourés de mystère car ils n'ont laissé aucun témoignage écrit sur leurs activités.

Ier siècle av. J.-C., les nobles élisent chaque année, au sein d'une assemblée, un roi ou un magistrat suprême, le vergobret. Mais cette fonction disparaît peu à peu : au roi est préféré le chef de guerre qui s'impose par son éclat et sa vaillance au combat.

Bouclier en bois recouvert de bronze et renforcé au centre par une pièce, l'umbo.

Le druide est chargé de l'éducation des jeunes du village.

Une religion très mystérieuse

Parce que les Celtes écrivaient très peu, leurs croyances et leurs pratiques religieuses sont mal connues. Les témoignages des auteurs anciens, en particulier celui de Jules César – à manier avec précaution –, et les découvertes archéologiques sont les seules sources de renseignements.

Epona, en amazone sur sa jument, protège les guerriers.

Des dieux partout

Pour les Gaulois, les fontaines, les rivières, les lacs, les puits et les sources sont des divinités bienfaisantes. Ils vouent un culte très fort à l'eau, mais aussi à toute la nature qui les entoure : rochers, montagnes, forêt, souches d'arbres aux formes inquiétantes, astres… sont pour eux peuplés d'esprits divins. Ils accordent également une place particulière à certains dieux : Lug, le dieu suprême, Cernunnos qui symbolise la fécondité, Taranis qui représente la lumière, l'air, la vie et la mort, et enfin Epona, la cavalière, déesse de la sagesse et de la guerre.

Cernunnos, le dieu aux ramures de cerf.

D'étranges cérémonies

Des découvertes archéologiques révèlent certaines pratiques religieuses. Le sanctuaire de Roquepertuse, dans le Sud de la Gaule, comprend des piliers dans lesquels des crânes humains sont enchâssés. Il semble donc que les Gaulois pratiquaient des sacrifices humains. On pense qu'ils tuaient leurs ennemis et exposaient leurs têtes en espérant s'approprier leurs vertus et devenir plus puissants encore. Ailleurs, près de sources ou dans des lacs

Entrée du sanctuaire de Roquepertuse.

Dans l'Autre Monde

Les Celtes croient en l'immortalité de l'âme et pensent que la mort n'est que le passage d'un monde vers un autre. D'où l'importance pour eux du gui, cette plante sacrée qui fleurit en hiver sur les arbres, prouvant ainsi que la vie demeure, même quand elle semble avoir disparu. Et puisqu'ils pensent se retrouver après leur mort, les Gaulois s'empruntent couramment de l'argent, à charge de le rembourser dans l'au-delà ! Enfin, ils respectent profondément leurs morts qu'ils enterrent avec leurs objets les plus précieux : bijoux, pièces de monnaie, meubles, vases emplis de nourriture…

sacrés, on a retrouvé de grandes quantités d'objets en bois, en bronze ou en pierre. Offerts à la divinité du lieu, ils représentent des parties souffrantes du corps humain (visage, bras, jambes…) dont on espérait la guérison. Les Celtes faisaient aussi de nombreux présents aux dieux pour s'attirer leurs faveurs. Enfin, un auteur romain rapporte le rite étonnant de la cueillette du gui. Il se pratiquait sur le chêne rouvre au sixième jour de la lune, par un druide vêtu d'une longue robe blanche et armé d'une serpe d'or. Mais on ignore le sens véritable de cette coutume.

Grand vase en bronze (1,65 m de haut) déposé dans la tombe d'une riche Gauloise, la princesse de Vix.

Par Toutatis !

Astérix, ce guerrier gaulois sorti tout droit de l'imagination d'Uderzo et Goscinny, auteurs de la célèbre bande dessinée, est connu de tous. Aussi remarquable par sa petite taille que par son intelligence, son astuce et son courage, il est doué d'une force prodigieuse grâce aux potions magiques du druide Panoramix. Et au plus fort de son énervement, il n'hésite pas à invoquer Toutatis, le dieu représentant la gravité, la paix et la sérénité…

La vie animée d'un bourg

« Qui veut de mes beaux jambons ? » « Elle est bonne, elle est belle, ma cervoise ! » Sur la place centrale, le marché bat son plein. Comme dans la plupart des oppidums – des bourgs fortifiés, situés généralement en hauteur près d'une grande route ou d'une rivière –, les Gaulois s'activent…

Un quartier très bruyant

Le long des rues, on n'entend que coups et martèlements. Dans leurs ateliers, les artisans fabriquent toutes sortes d'objets dont la grande qualité est réputée jusqu'en Grèce et à Rome. Ils travaillent aussi bien les métaux que le bois, le cuir, la laine ou l'argile. Le forgeron bat le fer sur son enclume. Il fabrique des épées tranchantes et des outils solides : socs de charrue, haches, faucilles, scies… On admire sa puissance et on le redoute. Certains disent même qu'il a des pouvoirs mystérieux tant est grande sa maîtrise. Le tisserand, quant à lui, connaît le secret des teintures. Il utilise des plantes pour donner aux vêtements les couleurs dont les Gaulois raffolent.

On passe à table !

Dans les maisons flottent de bonnes odeurs de cuisine. À l'abri dans leurs logis rectangulaires au toit de chaume et aux murs en torchis, les Gaulois s'installent par terre autour d'une planche de bois posée sur des pieds. Au milieu de cette pièce unique et sans fenêtre crépite le feu sur lequel mijote le repas. Le porc fournit l'essentiel de la viande et sert à faire des charcuteries, des rillettes et surtout du jambon fumé vendu jusqu'à Rome. Le pain a la forme d'une belle miche à la mie légère car il est fait avec de la levure. Celle-ci est également utilisée pour préparer la cervoise, sorte de bière amère légèrement pétillante, fabriquée avec des grains d'orge. C'est la boisson préférée de tous. Dans les banquets, elle coule à flots. Les plus riches, eux, préfèrent souvent le vin qui vient de Grèce ou d'Italie.

Un pays de cocagne

La Gaule est une contrée d'abondance. Dans les clairières défrichées au milieu de vastes forêts, la terre produit de grandes quantités de céréales (blé, orge, seigle) qui peuvent nourrir toute la population estimée à environ 12 millions d'habitants au Ier siècle avant notre ère. Les paysans pratiquent l'élevage de porcs, de bœufs, de moutons et de chevaux. En dehors des oppidums, ils habitent pour la plupart dans des fermes isolées ou regroupées en hameaux, au cœur des régions qu'ils cultivent.

Que d'inventions !

Les Gaulois sont des bricoleurs de génie, pétillant d'astuces et d'ingéniosité pour faciliter la vie quotidienne. Sais-tu qu'ils ont inventé le matelas en superposant plusieurs couches de laine bien moelleuses ? Autre création de leur cru : ils utilisent du savon fabriqué avec de la graisse animale et de la cendre pour faire leur toilette. Que dire du tonneau ? Une sacrée trouvaille pour transporter l'huile et le vin ! Citons encore la première moissonneuse mise au point pour couper le blé, l'engrais pour nourrir les sols pauvres, la charrue, un simple bras en bois auquel on a ajouté deux roues. Il fallait y penser !

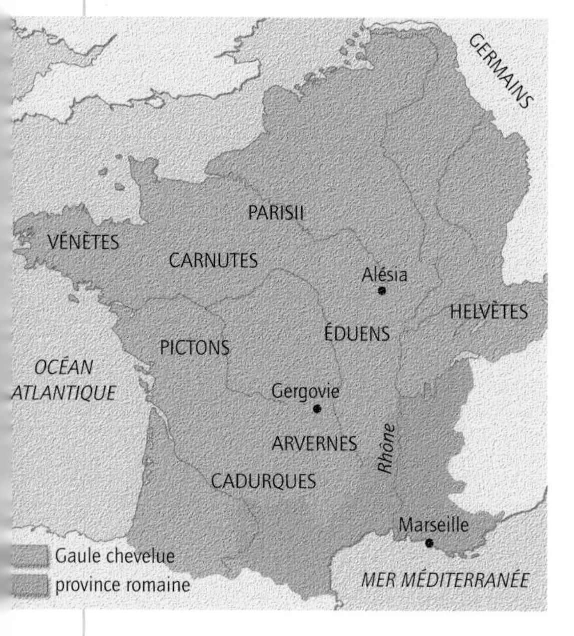

Et Rome regarda vers la Gaule...

Conquérir la Gaule n'est pas une mince affaire et les Romains qui convoitent ce pays riche et prospère doivent s'y prendre à plusieurs fois ! Il est vrai qu'ils conservent longtemps le terrible souvenir de l'invasion de 390 av. J.-C. quand les redoutables Gaulois avaient pillé Rome…

Une conquête en deux temps

Menacés par leurs voisins, les Grecs de Marseille appellent Rome au secours en 125 av. J.-C. Tout se passe alors très vite. Les légions romaines accourent, occupent la vallée du Rhône et la côte méditerranéenne et s'y installent définitivement en 117 av. J.-C. La région conquise devient province romaine, la première de la Gaule. Elle permet aux Romains de contrôler la route terrestre reliant l'Italie à l'Espagne, de fonder des villes autour des camps militaires et elle offre une base de départ pour conquérir, au nord, la riche Gaule chevelue. Le signal est donné en 58 av. J.-C. quand les Gaulois en fournissent eux-mêmes le prétexte : la tribu des Éduens demande l'aide des Romains pour repousser les Helvètes. Jules César saute immédiatement sur l'occasion car il a besoin d'une victoire retentissante pour asseoir son pouvoir à Rome.

Vercingétorix contre César

César pénètre en Gaule et occupe tout le pays entre 58 et 56 av. J.-C. Mais il se heurte bientôt à une révolte des peuples du Nord et du Nord-Est, dirigée par Vercingétorix, un noble arverne âgé de 20 ans. En 52 av. J.-C., celui-ci réunit les tribus gauloises sous son commandement et adopte un plan qui consiste à priver l'ennemi de toutes ressources en vivres et en armes. Les Gaulois détruisent alors villes, villages et fermes pour empêcher les Romains de se ravitailler. La tactique réussit en partie. Quand Jules César veut prendre Gergovie, capitale des Arvernes, il échoue. Il parvient cependant à bloquer son ennemi dans Alésia, où Vercingétorix croit être à l'abri pour attendre des renforts.

Gaulois contre Romains, deux armées de choc face à face.

Le dernier combat

Spécialisée dans les sièges, l'armée romaine est à son avantage : 70 000 soldats encerclent Alésia de deux rangées de fortifications infranchissables. Les renforts arrivent trop tard et les Gaulois pris au piège sont acculés à la famine. Vercingétorix doit capituler en jetant ses armes aux pieds de César. Cet épisode marque la fin de la guerre des Gaules. Le bilan est lourd : un million de morts, des milliers de prisonniers réduits en esclavage, un tribut considérable à payer et une indépendance confisquée pour plus de cinq siècles.

Célèbre depuis peu

« Je suis brave, mais tu l'es encore plus et tu m'as vaincu. » C'est ainsi que Vercingétorix s'adresse à son vainqueur lors de la capitulation d'Alésia. Après six ans de captivité à Rome, il est traîné dans les rues de la capitale lors du triomphe de Jules César, et il meurt ensuite étranglé comme le veut l'usage. Bientôt on ne se souvient plus de lui… jusqu'au XIXe siècle où il sort de l'ombre. À cette époque, les Français commencent à s'intéresser à leurs plus lointains ancêtres et Vercingétorix devient le premier héros national. Mais 1 900 ans d'oubli, c'est très long, et l'on ne sait finalement que très peu de choses sur ce personnage…

Ce Gaulois à terre, mourant, symbolise la lourde défaite de tout son peuple.

Valeureux Germains

Saxons, Suèves, Vandales, Burgondes, Ostrogoths, Wisigoths, Francs… ces peuples germaniques unis par une langue et par des coutumes proches ont de drôles de noms, mais pour les Romains, ils évoquent tous la terreur et le pillage. Pendant longtemps, ils furent nos lointains voisins, puis ils sont devenus un peu nos cousins !

À l'assaut !

Originaires du Sud de la Scandinavie, les Germains s'installent au IIe siècle av. J.-C. dans la grande plaine d'Europe du Nord entre la Vistule et le Rhin. Jusqu'au IIe siècle ap. J.-C., ils se contentent de faire quelques incursions vers l'ouest. Mais l'empire romain les attire et, en dépit du *limes*, une ligne de fortification construite pour les contenir, ils accentuent leurs pressions sur les frontières. Au IIIe siècle, les Goths, les Alamans et les Francs pénètrent en terre romaine, mais sont refoulés par des soldats germains recrutés par l'armée impériale. Rome ne peut cependant faire face à la vague qui déferle à partir de 375, celle des Grandes Invasions. Poussés vers l'ouest par les Huns – de redoutables cavaliers venus d'Asie centrale –, les Germains franchissent la frontière du Rhin et volent de conquête en conquête. Au Ve siècle, ils occupent tout l'empire romain d'Occident.

Le pouvoir est aux guerriers

Organisés en tribus souvent rivales, les Germains se livrent d'incessants combats.

Un orfèvre en train de sertir des pierres précieuses sur une fibule.

Ils élisent des chefs qui doivent rendre des comptes à l'Assemblée des guerriers, composée de ceux qui se sont rendus illustres par des faits militaires. Les chefs s'entourent de fidèles qui se lient à eux par des serments. Cette société guerrière est peu différente de celle des Celtes. Comme eux, les Germains vivent de l'agriculture et de l'élevage. Leurs orfèvres et leurs forgerons travaillent les métaux avec une habileté exceptionnelle et fabriquent des armes de grande qualité. Leurs marchands vendent aux Romains des peaux, du bois, des esclaves et de l'ambre (résine servant à faire des bijoux) en échange d'or, de vin et de tissus.

Ce n'est que justice !

Alors que les Romains établissent une loi unique et écrite dans tout leur empire, les Germains appliquent la coutume, souvent orale, qui peut donc varier. Mais, même si leur société est violente et si la loi du plus fort domine la plupart du temps, ils vivent avec quelques règles qu'ils imposent également aux peuples conquis. Ainsi, pour éviter les vengeances, la coutume exige que les coupables payent une certaine somme à leur victime ou à sa famille pour chaque faute grave commise. En guise de jugement, les Germains pratiquent aussi l'ordalie : l'accusé doit faire lui-même la preuve de son innocence en plaçant, par exemple, des charbons ardents sur sa poitrine. S'il est épargné par la brûlure, il est reconnu innocent !

De délicates brutes épaisses

Aussi raffinés que brutaux, les Germains excellent dans l'art de travailler l'or. Ils aiment également sertir des pierres précieuses sur leurs bagues, bracelets, colliers, garnitures de ceintures ou fibules, les broches qui servent à retenir un vêtement ou à attacher un manteau. Leurs bijoux sont parfois de vrais chefs-d'œuvre !

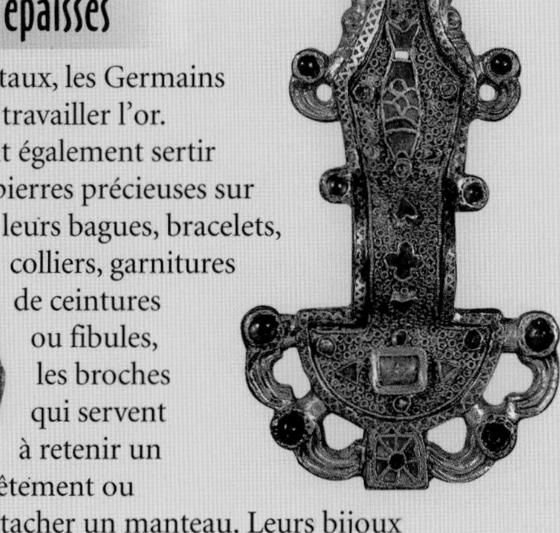

C'est tout une légende

Les croyances des Germains sont connues surtout grâce à Tacite, écrivain latin du Ier siècle, et aux récits des Vikings. Ces derniers, descendants des Germains du Nord, honoreront les mêmes dieux que leurs ancêtres et pratiqueront des rites semblables. Seul le nom des divinités changera.

Donar se déplace dans un char tiré par deux boucs, dans un fracas ressemblant au grondement de l'orage.

Odin sur son cheval, escorté de ses deux corbeaux.

Du haut de leur arbre

Les Germains distinguent deux groupes de divinités : les Ases, dieux de la force, et les Vanes, ceux qui perpétuent la vie. Le plus puissant d'entre eux est Wotan (ou Odin pour les Vikings) qui a sacrifié l'un de ses yeux pour obtenir la connaissance absolue. Il représente la guerre, la poésie et la magie. Freyja est la déesse de l'amour. Donar (ou Thor), célèbre pour sa force physique, est le dieu du tonnerre, toujours armé d'un marteau pour faire résonner la Terre. Tyr symbolise la justice et donne la victoire. Tous habitent Asgard, une résidence forteresse, et se tiennent sur les branches d'Yggdrasil, un frêne immense qui soutient l'Univers.

Fin ou début du monde ?

Après la création du monde, la bonne entente règne parmi les dieux. Mais Loki, mauvais et jaloux, cause la mort du plus beau et du meilleur d'entre eux, Baldr. Une grande bataille oppose alors les divinités à Loki, associé aux puissances du mal. À la suite d'hivers glacials surviennent de terribles catastrophes naturelles – disparition du soleil, tremblements de terre, inondations… –, l'Univers est détruit, les hommes meurent ainsi que la plupart des dieux. De cet anéantissement surgit pourtant un autre monde qui voit le retour des dieux bons et des humains. C'est ainsi que les Germains conçoivent l'histoire de l'Univers : ponctuée par des âges d'or successifs.

Les Walkyries jugent de la bravoure et de la force des guerriers.

La magie des mots

Les runes – signes de l'alphabet sacré des Germains puis des Vikings – permettent de communiquer avec les dieux, de les invoquer pour obtenir guérison, amour ou protection, de leur demander d'augmenter l'efficacité des épées… Les hommes les interrogent également pour essayer de déchiffrer les messages envoyés par les divinités ou pour comprendre les mystères de la vie.

Au paradis des guerriers

Les guerriers ne craignent pas la mort. Ils savent qu'au cours d'un combat, le puissant Wotan peut les choisir pour mourir. Les messagères du dieu, les belles Walkyries montées sur des chevaux, viennent chercher les héros morts pour les emmener vers le Walhalla, le palais de Wotan à Asgard, dont les poutres sont faites de lances et les tuiles de boucliers. Pendant la journée, les guerriers s'y entraînent pour le combat final contre les puissances du mal. Ensuite, les Walkyries leur servent des festins toute la nuit. Voilà pourquoi, lors des fêtes saisonnières, les Germains ont l'habitude d'honorer leurs dieux principaux au cours de grands banquets.

Un jour pas comme les autres

Frigg, l'épouse de Wotan, est la mère par excellence, protectrice du foyer et déesse de la fertilité. Elle est celle aussi qui réunit les amants après leur mort. Son nom a donné en anglais *friday* et en allemand *Freitag*, c'est-à-dire vendredi, jour de la semaine considéré comme particulièrement bénéfique puisqu'il était placé sous sa protection.

Les Vikings, rois des mers

Dans les pays scandinaves, terre et mer s'épousent.

Qui sont ces hommes du Nord surgissant des brumes glaciales de Scandinavie à partir du VIIIe siècle ? Non seulement de grands guerriers et des marins – Vikings signifie "guerriers de la mer" –, mais aussi des marchands qui dessinent une Europe nouvelle.

La mer pour unique horizon

Ces peuples d'origine germanique habitent une multitude de petits royaumes indépendants qui s'étendent le long des côtes norvégiennes, au Danemark et dans le Sud de la Suède. Les Vikings ne forment donc pas une seule nation, même s'ils ont en commun des habitudes de vie, des croyances, une langue – le vieux norrois –, et surtout la mer. Présente partout autour d'eux, elle leur est familière et tout les pousse à la fréquenter : le sol gelé pendant les longs mois d'hiver, les terres insuffisantes pour nourrir la population, le système d'héritage qui favorise seulement l'aîné des enfants, le bannissement obligeant les coupables de crimes graves à quitter leur patrie...

Reconnaissables entre tous

Les bateaux vikings ont la silhouette de longues barques dont la proue et la poupe sont identiques. Ils avancent à l'aide d'une grande voile rectangulaire tissée en laine ou en lin, et avec des rames en cas de calme plat. Leur étroite coque, faite de planches qui se chevauchent comme des tuiles, fend rapidement les vagues. Leur gouvernail – un aviron fixé à l'arrière – facilite les manœuvres, et la petitesse de leur quille leur permet d'approcher les rives de près et de remonter les fleuves. Ces bateaux solides et légers sont le résultat d'une longue mise au point et ils assurent aux Vikings une supériorité absolue sur l'eau pendant des siècles.

Ce grand navire retrouvé à Oseberg, en Norvège, accueillait 30 personnes.

Comment dompter les flots ?

À chaque besoin correspond un type de bateau. Pour naviguer à l'intérieur des estuaires profonds ou entre les îles, les Vikings embarquent sur des karvs. Pour parcourir de longues distances, ils préfèrent le knorr, un bateau plus large qui peut transporter hommes et marchandises. Les raids sont généralement effectués avec des langskips, embarcations longues et effilées qui sont tirées sur la terre ferme en un tour de main. Les Vikings utilisent au mieux leurs navires grâce à une remarquable connaissance de la mer. Le long des côtes, ils naviguent à vue, mais pour s'orienter au milieu de l'océan, ils doivent faire preuve de sang-froid et d'ingéniosité. Ils évaluent leur vitesse en fonction de la force et de la direction du vent, et grâce au bruit des vagues contre la coque. Ils se fient aux astres et à leur position dans le ciel, ils utilisent des sortes de cartes marines gravées sur des plaquettes de bois et enfin, ils mettent à profit tout un savoir transmis par de nombreuses générations de marins.

Proue ou poupe en forme de tête de dragon.

Et le drakkar, alors ?

Pour toi, c'est le nom des bateaux vikings... Grande erreur ! *Drakkar* signifie en fait "dragons" en vieux norrois. Comme les navires vikings portaient souvent, à la proue et à la poupe, une tête de dragon destinée à chasser les mauvais esprits qui hantaient les mers, on a assimilé le mot drakkar au navire. Et la confusion s'est ainsi faite !

Au secours, les Vikings !

« De la fureur des hommes du Nord, délivre-nous, Seigneur. Ils ravagent notre pays, tuent femmes, enfants, vieillards ! » Longtemps, cette prière résonne dans les églises, tant le péril viking est grand. Il s'abat en 793 sur l'Europe occidentale et disparaît en 1066 après s'être déchaîné pendant trois siècles.

Armures, haches, flèches sont débarquées : l'expédition guerrière est en route, prête à déferler.

Casque en bronze et en mailles de fer.

Ils attaquent partout !

Les Vikings norvégiens sont les premiers à frapper. À partir de 793, en bandes isolées, ils lancent des raids contre les monastères, les églises des îles de la mer du Nord et d'Irlande, puis ils se dirigent vers le sud pour attaquer les villes du littoral français en remontant même la Loire jusqu'à Tours. Les côtes portugaises, espagnoles et celles d'Afrique du Nord subissent aussi leurs ravages. Dès 834, les Vikings danois entrent en scène, organisés en véritables armées : leurs expéditions sont de grandes opérations militaires. Ils déferlent sur l'Allemagne, l'Angleterre et la France. Au IXe siècle, ils se présentent près de six fois devant Paris !

Des spécialistes du raid

À la fin de l'été, quand les travaux des champs sont finis, les Vikings partent à bord de trois ou quatre navires, par groupes d'une centaine d'hommes. À la surprise de leurs attaques s'ajoute la ruse. Embusqués, ils choisissent le moment favorable pour agir : un jour de marché ou le dimanche au moment des offices religieux. Ils montent alors sur des chevaux qu'ils ont embarqués et pillent tout ce qu'ils trouvent : marchandises, objets religieux de grande valeur… sans oublier de faire quelques prisonniers qu'ils revendront ensuite comme esclaves. Avant de partir, ils mettent le feu afin de retarder les poursuites, puis ils se dirigent vers un autre lieu pour y effectuer une nouvelle razzia.

Personne ne leur résiste

Les rois ou les seigneurs en place sont bien impuissants face à de telles attaques. Souvent, ils doivent négocier le départ des assaillants en leur versant de grosses sommes d'argent ou en leur cédant une part de leur territoire. Ainsi, l'Ouest de l'Angleterre devient en partie une terre danoise entre la fin du IXe et le XIe siècle. En France, Rollon, un chef viking, reçoit la Neustrie contre la promesse d'être fidèle au roi, de repousser toute nouvelle incursion et de devenir chrétien. Le traité de Saint-Clair-sur-Epte, en 911, donne ainsi naissance au duché de Normandie. Les Vikings s'y installent, ils agrandissent leur territoire, se fondent dans les populations et prennent le nom de Normands, c'est-à-dire "hommes du Nord". En 1066, Guillaume le Conquérant, descendant de Rollon, part de ce duché pour conquérir l'Angleterre. Ce sont aussi des Normands qui, entre 1046 et 1091 environ, se rendent maîtres de l'Italie du Sud et de la Sicile.

Une ville, vraisemblablement Rouen, se rend à Rollon.

La plus vieille B.D. du monde

Étonnante B.D. que cette immense broderie de 70 m de long qui se trouve à Bayeux, en Normandie. Exécutée vers 1077 sous la direction de la reine Mathilde, elle représente, étape par étape, la conquête de l'Angleterre par son époux, Guillaume le Conquérant. Mais cette broderie fourmille aussi de renseignements sur la vie quotidienne, notamment celle des Vikings, les ancêtres des Normands.

Tous égaux devant la loi

Quand les navires rentrent au port au début de l'hiver, les pillards retrouvent leurs activités habituelles et suivent les règles d'une société égalitaire, organisée et basée sur la loi.

Pendant l'assemblée du Thing qui dure plusieurs jours, les dé[...] sont dirigés par les anciens.

Esclave, fermier ou chef ?

En bas de l'échelle sociale, se trouvent les esclaves qui accomplissent les travaux les plus rudes et n'ont aucun droit. Vient ensuite la foule des hommes libres. Qu'ils soient de modestes paysans ou de riches propriétaires, ils sont en principe égaux. En réalité, ceux qui ont de nombreux biens et une famille ancienne possèdent davantage de droits. Mais tous bénéficient de deux privilèges : porter les armes et prendre part aux Things, les assemblées qui régissent la société. Au cours de celles-ci, ils élisent, parmi les hommes les plus puissants, leur roi et les chefs qui représenteront leurs clans. À la tête des Vikings, le roi, à la fois prêtre et chef de guerre, est responsable de la prospérité et de la sécurité de son peuple. Il peut donc être démis s'il échoue dans sa mission.

Ils décident tous ensemble

Les États vikings sont de minuscules "républiques" dirigées chacune par les Things locaux, sortes de parlements et d'assemblées judiciaires qui se réunissent deux ou trois fois par mois, en plein air. Au cours de ces réunions, les hommes libres décident des lois, votent en frappant leur épée contre leur bouclier et rendent la justice. Ils sanctionnent souvent les petites fautes par des amendes et condamnent les coupables de crimes graves au châtiment suprême : le bannissement, c'est-à-dire l'exil. Grâce à cette organisation, il n'y a ni police, ni prison, ni armée. Chacun respecte la loi car elle est considérée comme sacrée. Lors du Thing, les hommes s'échangent aussi des informations sur le commerce et les expéditions guerrières à venir. Ils y décident également les mariages.

Tête d'un homme viking sculptée dans le bois.

Pas de quartier !

Les délits et les désaccords sont généralement jugés devant le Thing. Mais la loi permet aussi une autre forme de justice : si les deux adversaires préfèrent régler eux-mêmes leur conflit, ils peuvent se provoquer en duel. Le combat se déroule alors dans un lieu désert jusqu'à la mort de l'un des deux hommes. Et que les dieux fassent gagner celui qui a raison !

La fin de l'ère viking

Entre le IXe et le XIe siècle, la religion chrétienne se diffuse lentement chez les Vikings. Leurs croyances, issues de celles de leurs ancêtres germains (*voir p. 114-115*), disparaissent mais ne tombent pas dans l'oubli. À partir du XIIe siècle, les Vikings commencent à utiliser l'alphabet latin et à retranscrire les légendes jusqu'alors transmises oralement par les scaldes, des poètes et conteurs qui animent les grands banquets. L'introduction de la religion chrétienne favorise par ailleurs l'avènement de la monarchie, à l'exemple des royaumes d'Europe occidentale. Le Thing perd de son importance. Les hommes libres les plus influents forment alors une aristocratie qui entoure le souverain, tandis que les pauvres n'ont plus aucun pouvoir.

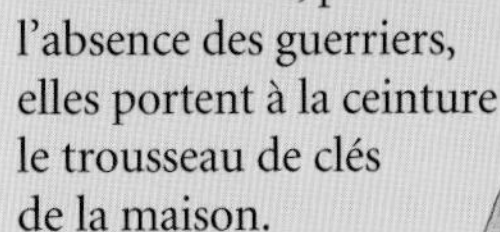

Avec la christianisation, les premières églises sortent de terre. En Norvège, celle de Borgund, totalement construite en bois, date de 1150.

Gunnhild, Helga, Asa et les autres...

Même si la société viking est dominée par les hommes, les femmes bénéficient d'une position que toutes les autres de l'époque pourraient leur envier. Après s'être mariées, elles conservent leur nom de jeune fille et ont la possibilité de divorcer. Les biens dont elles héritent n'appartiennent qu'à elles seules. Même si leur mari prend des concubines, elles restent responsables du domaine et, pendant l'absence des guerriers, elles portent à la ceinture le trousseau de clés de la maison.

Bien au chaud à la maison

L'hiver est rude et interminable en Scandinavie, aussi toute la famille passe de nombreux mois et de longues soirées dans la ferme. Elle y fabrique tout ce dont elle a besoin : nourriture, vêtements et outils.

De grandes maisonnées

Pour abriter toute la famille comprenant parents, enfants, concubines, serviteurs et esclaves, les maisons sont vastes. Disséminées dans les régions les plus fertiles, de forme rectangulaire, elles sont construites en bois. Sur les murs faits de planches recouvertes de torchis (terre et paille mélangées) repose un toit couvert de chaume ou de plaques de gazon. À l'intérieur de la pièce principale, les meubles sont rares. Seuls le maître et son épouse ont un lit pour dormir ; les autres se contentent de banquettes disposées le long des murs. Cette grande salle commune est sombre. Une seule ouverture est percée dans le toit pour évacuer la fumée du feu qui crépite en permanence dans la fosse creusée au centre. Ce foyer sert à chauffer et à éclairer la pièce. Reliés par des couloirs étroits, d'autres bâtiments sont accolés à la maison. Il s'agit de l'étable, de la laiterie, du hangar à bateaux, des cabinets de toilette et de l'étuve où l'on prend des bains de vapeur.

Maison au toit recouvert de plaques de gazon avec ses dépendances : un hangar et une laiterie.

À l'heure des repas

Dans la cuisine, parfois située en dehors du logis principal, les femmes s'activent. Elles font bouillir la viande dans des chaudrons, ou la font griller sur des pierres plates préalablement chauffées au feu, pendant que les légumes – choux, pois, fèves, navets – cuisent dans la cendre, enveloppés dans des feuilles d'arbre. Chaque repas est accompagné d'une sorte de bouillie à base d'orge, de pain de seigle ainsi que de poisson frais, séché ou salé. La bière, fabriquée avec de l'orge et du houblon, est consommée en grande quantité. L'hydromel, à base de miel, est la boisson des grandes occasions. Pour conserver les aliments, les Vikings les gardent dans du sel, les sèchent ou les congèlent : les œufs, le lait et parfois la viande sont ainsi enfouis dans le sol et recouverts de glace et de feuillages.

C'est du fait maison !

Chaque maisonnée suffit à ses propres besoins. Tout est fabriqué ou produit à la ferme car les Vikings sont à la fois paysans, chasseurs, pêcheurs, charpentiers et forgerons. Ils disposent ainsi des matières premières nécessaires à leur alimentation et à la fabrication de nombreux objets : instruments agricoles en bois, vêtements en laine, en fourrure d'ours ou de loutre, peignes, manches de couteau en os de morse, chaudrons… Leur grande spécialité est le façonnage des outils en fer ou en cuivre, aussi chaque ferme importante possède sa forge.

Les ustensiles de cuisine – chaudrons, pots en fer, bols, verres... – sont fabriqués au fur et à mesure des besoins.

Peigne en os de morse.

Tout est bon dans le morse !

Sa chair est délicieuse à manger. Sa graisse sert à éclairer, à cuire les aliments, à les conserver, et à entretenir les outils en fer. Sa peau ? Un excellent cuir pour fabriquer des chaussures et des tentes ! Ses os peuvent être transformés en peignes ou en petits outils. Quant à ses défenses, sculptées, elles sont des objets d'art faciles à troquer.

Aux quatre points cardinaux

Pendant que les pillards ravagent l'Europe occidentale, d'autres Vikings se lancent sur l'océan à la recherche de nouvelles terres toujours plus lointaines, et d'autres encore se tournent vers l'Est et ses richesses.

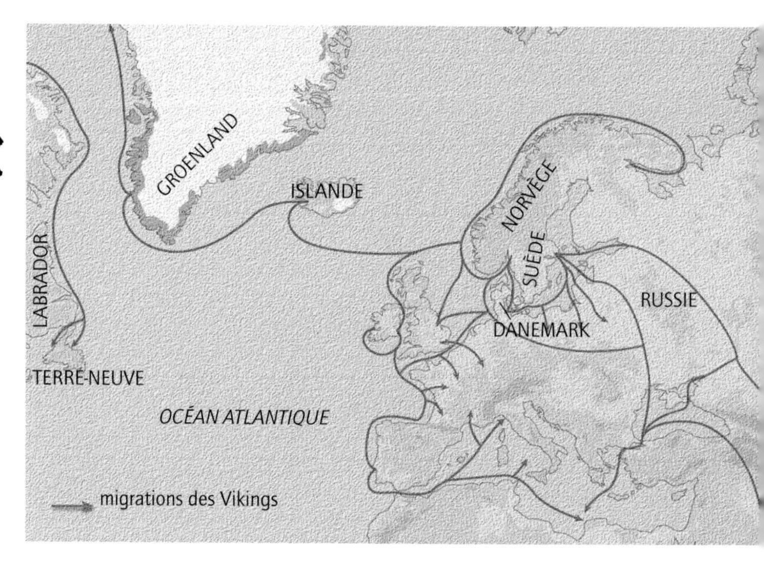

Site de la colonie viking à Terre-Neuve, en Amérique.

Dans les brumes du Grand Nord

En s'éloignant des côtes, les Vikings norvégiens deviennent des explorateurs et des colonisateurs. Leur première étape est l'Islande qu'ils abordent vers 815 et colonisent entre 874 et 930 avec plus de 10 000 personnes. Sur cette nouvelle terre, ils profitent de bonnes conditions : des plaines littorales cultivables, du minerai de fer en quantité, de grandes forêts et du poisson en abondance. Ils s'organisent en petites communautés, mais l'afflux de nouveaux arrivants provoque des famines et des guerres de clans. En 982, le chef Erik le Rouge, obligé de quitter l'Islande pour un meurtre qu'il a commis, décide de naviguer vers l'ouest. Il découvre une terre accueillante qu'il nomme Groenland, c'est-à-dire le "Pays vert", et il y fonde deux colonies.

Les Vikings en Amérique

Cinq cents ans avant Christophe Colomb, Leifr, le fils d'Erik le Rouge, aborde le continent américain. Parti du Groenland, il atteint le Canada vers l'an 1000. Il s'arrête d'abord sur la côte du Labrador couverte de forêts, puis il découvre Terre-Neuve et son sol fertile. Pendant une vingtaine d'années, par intermittence, les Vikings tentent de s'établir dans ce pays baptisé Vinland ("Terre des vignes"). Mais, découragés par les mauvaises relations avec les Amérindiens et les conditions de vie trop difficiles, ils finissent par retourner au Groenland. Leurs descendants effacent vite de leur mémoire ce nouveau continent.

Sur la route de l'Orient

De leur côté, les Vikings suédois se tournent vers l'est. Trafiquants et commerçants, ils sont séduits par les richesses du monde slave qui regorge de fourrures et d'esclaves. Ils sont également attirés par le réseau des grands fleuves russes orientés vers le sud, qui leur ouvre la Route de la soie, des épices et des fabuleux marchés d'Orient. S'ils ne sont pas des colonisateurs comme les Vikings norvégiens, ils fondent néanmoins des cités et participent à la création de l'État russe. Au milieu du IXe siècle, le chef Rurik devient le maître de Novgorod et du Nord de la Russie. En 882, Oleg le Sage réunit cette principauté au Sud du territoire russe et fait de Kiev sa capitale. En 907, il part à l'assaut de Constantinople, la brillante cité byzantine, mais il est repoussé. Vladimir, son arrière-petit-fils, se convertit au christianisme en 988 pour obtenir l'appui du puissant empire byzantin. C'est l'acte de naissance du nouvel État russe chrétien.

Le baptême de Vladimir marque la fin de l'épopée viking en Russie.

Oleg le Sage, grand prince de Kiev.

Au hasard des flots, les Vikings découvrent des terres inconnues à bord de leurs knorrs.

La grande saga d'Erik

Si Erik Thorvaldsson, dit Erik le Rouge, n'avait pas été banni d'Islande, il n'aurait sans doute jamais découvert le Groenland, ni son fils l'Amérique ! Ses exploits et ceux de sa famille sont racontés dans la *Saga d'Erik le Rouge*. Longtemps, les archéologues se sont demandé si ce récit était vrai. En 1961, un site mis à jour en Terre-Neuve fait enfin apparaître les vestiges d'une colonie viking datant des environs de l'an 1000 (traces de huit bâtiments de terre, et nombreux objets en bois et en fer). Eh oui, les Vikings ont bien découvert l'Amérique !

水亦爾時世尊即為
之說偈呪願
若人能布施　斷除於慳貪
若人能忍辱　永離於瞋恚
若人能進善　則遠於愚癡
能具此三行　速至般涅槃
若有貧窮人　无財可布施
見他脩施時　而生隨喜心
隨喜之福報　與施等无異

Dans le lointain Orient

À l'écart de l'Occident, le monde fascinant de l'Orient s'éveille. Le long de ses grands fleuves – l'Indus et le Gange en Inde, le fleuve Jaune en Chine –, des empires brillants se font et se défont, des croyances se répandent. Ainsi en est-il de l'hindouisme, né en Inde, mais bientôt éclipsé par la sagesse du bouddhisme qui se propage dans toute l'Asie. Pendant que la Chine, à l'abri de sa Grande Muraille, s'organise en un empire durable et bouillonne d'inventions, le Japon se met à son école et rivalise de raffinement. Au-delà de leurs frontières, des nomades guerriers s'imposent et l'océan Pacifique se peuple.

Au bord de l'Indus et du Gange

Vaste et parcourue par deux grands fleuves aux rives fertiles, l'Inde sort de l'ombre dès les temps les plus reculés. Ses peuples font éclore une étonnante société urbaine, qui laisse ensuite place à une autre civilisation basée sur des traditions encore respectées aujourd'hui.

Cachet qui scellait des marchandises. L'écriture qui y figure n'est pas encore déchiffrée actuellement.

Incroyables cités

Vers 2500 av. J.-C., un important foyer de peuplement apparaît dans le Nord-Ouest du pays. Les paysans y cultivent le blé, l'orge, le riz et élèvent des bovins, des chèvres et des moutons. Les artisans travaillent le cuivre. Les marchands, qui connaissent l'écriture et utilisent un système de poids et mesures, commercent avec les Sumériens. Deux grandes villes, Harappa et Mohenjo-Daro, dominent ce territoire (*voir carte p. 131*). Avant que les fouilles entreprises vers 1920 mettent au jour les vestiges de ces cités, nul ne soupçonnait leur ampleur ni leur degré de raffinement. La partie haute de Mohenjo-Daro abrite d'imposants édifices : un immense grenier à blé où sont stockées les récoltes, une salle destinée aux réunions politiques et une piscine sacrée servant aux bains rituels

de purification. En contrebas, de grandes artères quadrillent la ville et séparent les blocs d'habitations. Certaines maisons sont pourvues de salles de bains et de toilettes. Un vaste réseau d'égouts et un système de collecte des déchets urbains révèlent un grand souci de propreté. Ces villes sont brutalement abandonnées vers 1500 av. J.-C.

La piscine sacrée de Mohenjo-Daro est alimentée en eau par un puits et évacuée grâce à une canalisation.

De nouveaux arrivants

Cette disparition est peut-être due à l'invasion des Aryens entre 1800 et 1500 av. J.-C. Ces nomades blancs, originaires de l'Iran actuel, pénètrent dans le Nord de l'Inde et repoussent la majorité de la population locale vers le sud. Les tribus aryennes s'installent dans le Pendjab et la vallée du Gange. Fortes de la supériorité que leur donne l'usage des armes en fer et des chevaux, elles imposent les traditions qui marquent encore aujourd'hui la civilisation indienne.

Le dieu Shiva dansant dans un cercle de flammes.

Le dieu Vishnu veille à l'équilibre entre les forces du bien et du mal.

La religion qui change tout

Les Aryens apportent leur religion qui, au contact des peuples soumis, devient l'hindouisme, appelé aussi védisme. Celui-ci repose sur les *Veda*, les textes sacrés rédigés en vers qui mettent en scène une multitude de dieux. Peu à peu ces derniers laissent place aux trois grandes divinités hindoues : Brahmâ, le créateur du monde, Vishnu, le protecteur, et Shiva, le destructeur. Cette religion impose la division de la société en castes : chaque hindou, en naissant, appartient à l'une d'elles, et ne peut la quitter. La caste la plus élevée regroupe les prêtres, elle est suivie de celle des guerriers et des nobles, puis viennent celle des paysans et des commerçants, et enfin celle des serviteurs.

On n'a pas fini de le lire !

Ce sont les hindous qui ont écrit le plus gros livre du monde : le *Mahabharata*. Rédigé au cours de sept siècles, entre 400 av. J.-C. et 300 ap. J.-C., il se compose de 200 000 vers, près de quinze fois la Bible ! Cette grande épopée raconte les luttes qui ont opposé les tribus installées le long du Gange après l'arrivée des Aryens. Elle est aussi une sorte d'énorme encyclopédie des dieux hindous.

Bouddha, considé
comme un dieu.

Paix rime avec prospérité

Entrecoupée de périodes d'invasions, l'histoire de l'Inde ancienne connaît deux âges d'or. Le pays, alors unifié, voit s'épanouir une nouvelle religion issue de l'enseignement d'un grand sage : Bouddha.

Bouddha en méditation au pied d'un figuier.

Naissance d'un maître

Au Ve siècle av. J.-C., un homme commence à enseigner une nouvelle doctrine. Né vers 480 av. J.-C. à Kapilavastu, dans l'actuel Népal, Siddharta Gautama appartient à une riche famille princière. Selon la légende, il fait à 29 ans quatre rencontres qui bouleversent sa vie. Le même jour, il croise un vieillard, un malade, un mendiant et un cortège funèbre. Il décide alors de tout quitter pour chercher un moyen de dépasser l'insupportable souffrance humaine. Menant une vie de moine errant, il finit, à force de méditation, par découvrir une discipline de sagesse qui lui permet de trouver la paix. Il devient ainsi le Bouddha, ce qui signifie "l'Éveillé". Son enseignement se propage vite car il propose une voie simple, à la portée de tous, sans aucune distinction de castes.

Un grand empereur

Le rôle de l'empereur Açoka est décisif dans la propagation de cette doctrine. Poursuivant la politique d'unification de son grand-père Chandragupta, fondateur de la dynastie Maurya, Açoka étend sa domination sur l'ensemble de l'Inde, excepté l'extrême Sud, portant ainsi l'empire à son apogée.
Puis, converti au bouddhisme, il l'impose comme religion d'État et rédige des lois qu'il fait

Ce chapiteau aux lions surmontait une colonne où était gravée une loi d'Açoka.

Açoka, le bien-aimé des dieux

C'est ainsi que l'on nomme cet empereur qui, bouleversé par les horreurs de la guerre à la suite d'une bataille sanglante vers 251 av. J.-C., se convertit au bouddhisme. Dès lors, sa politique change radicalement. Il abolit les tortures, supprime les prisons et réduit les dépenses militaires. Dans les villages, des puits sont creusés, des hôpitaux construits. Il exige enfin que les pauvres soient traités avec bonté.

graver sur des pierres ou des colonnes dans tout le pays. Son œuvre politique ne lui survit guère : à sa mort, vers 232 av. J.-C., le territoire est partagé entre ses fils. Mais le bouddhisme poursuit malgré tout sa diffusion dans l'Est et le Sud de l'Asie.

La prospérité revient

Après une longue période de cinq cents ans jalonnés d'invasions, de divisions et de luttes émiettant toujours plus le pays, l'unité est enfin retrouvée. Au IVe et au Ve siècle, la dynastie Gupta forme un nouvel empire centré sur les provinces du Nord. Sous le règne particulièrement brillant de Chandragupta II, entre 375 et 414, l'Inde connaît un véritable essor. Sa prospérité repose sur l'agriculture, sur un artisanat de grande qualité et sur le commerce avec les régions lointaines. Les navires vont jusqu'en Asie du Sud-Est et en Arabie où sont vendues les marchandises destinées à l'empire romain : épices, parfums, pierres précieuses, fauves, éléphants, singes et perroquets. Au Ve siècle, une nouvelle vague d'invasions commence avec les Huns, un peuple nomade qui force les frontières du nord. L'Inde se fragmente alors en un puzzle de petits royaumes rivaux.

Du IVe au VIIIe siècle, l'art indien atteint un haut degré de raffinement. Les peintres représentent la majesté des dieux mais aussi le luxe des princes à la cour.

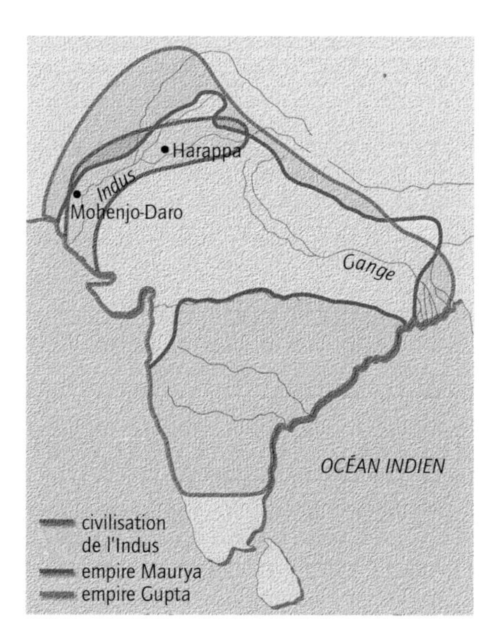

Une brillante civilisation

En dépit des nombreux désordres qui troublent son histoire, l'Inde ancienne brille avec éclat dans de nombreux domaines. Savants, artistes et lettrés contribuent à faire rayonner de leur génie la civilisation indienne naissante.

À la cour, les souverains s'entourent de conseillers et de courtisans.

Les chiffres et les lettres

Les souverains des multiples royaumes rivalisent avec leurs voisins en s'entourant de courtisans, souvent des lettrés et des artistes qui circulent à travers l'Inde. C'est ainsi que se diffuse une culture commune faite de contes, de poèmes et de pièces de théâtre écrites en sanskrit, la langue littéraire sacrée. De même, mathématiciens, astronomes et médecins indiens propagent leur grand savoir. Les savants enseignent ainsi le système décimal avec le zéro. Cette numération inventée au IIIe siècle facilite beaucoup les calculs. Elle permet d'exprimer des nombres très grands avec quelques chiffres : chaque décalage d'un chiffre vers la gauche augmente sa valeur de dix fois. Par exemple, 54 ne signifie pas 5 + 4, mais (5 x 10) + 4. Ce système aussi révolutionnaire que l'alphabet bouleverse les mathématiques.

À la gloire de Bouddha

En Inde, l'art est avant tout religieux. Dès son apparition, le bouddhisme s'affirme avec une grande vitalité artistique. Les architectes bouddhistes élèvent de magnifiques monuments en pierre en l'honneur de leur maître. De vastes monastères sont creusés dans les falaises qui bordent les routes, et leurs parois sont ornées de sculptures ou de fresques admirables. Les stupas, conçus à l'origine pour abriter les reliques

Grand stupa édifié par l'empereur Açoka à Sanchi.

Comme dans les monts d'Ajanta, des temples bouddhistes sont creusés dans le flanc des parois abruptes.

Le temple hindou, la demeure du dieu, est souvent monumental.

de Bouddha, sont élevés en grand nombre, surtout pendant le règne d'Açoka (il en aurait fait construire 84 000 dans tout son empire !). Ces édifices de pierre en forme de dôme sont des lieux de prière, d'offrandes et de contemplation.

Rien n'est trop beau pour les dieux

Lorsque le bouddhisme décline à partir du Ve siècle – pour disparaître presque entièrement de sa terre natale au Xe siècle –, l'hindouisme renaît, régénéré. Ce renouveau se manifeste à travers la construction de temples splendides bâtis à partir du VIIIe siècle. Glorifiant une divinité particulière, ils sont considérés comme sa demeure sur terre et représentent également l'univers en réduction. Ces temples abritent un sanctuaire destiné aux offrandes et sont surmontés d'une tour. Les nombreuses statues et décorations racontent les légendes du dieu. Lors des fêtes données en son honneur, des artistes lisent des poèmes et donnent des spectacles de danse au son d'instruments de musique comme le tambour, les cymbales ou la flûte. Ces arts sont pratiqués avec un grand degré de raffinement.

Place à la danse !

Pour un hindou, la danse est un acte rituel, et danser est la plus belle façon de plaire à son dieu. Les gestes et les postures des danseuses parées de bijoux et enveloppées dans de belles étoffes obéissent à des règles précises établies au Ier siècle. Comme les mots d'une langue, ils servent à exprimer les émotions, les sentiments, et à raconter l'histoire des dieux.

Quand la Chine s'éveille

Estimant qu'ils occupent le centre du monde, les Chinois ont appelé leur pays Zhongguo (ou Chine), ce qui signifie "pays du Milieu". Dans cet immense territoire cerné par des plaines sans fin et de hautes montagnes, naît lentement une civilisation étonnante.

Le long du fleuve Jaune

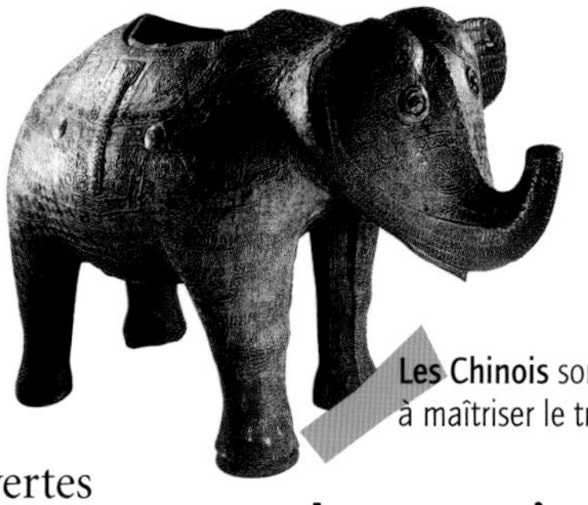

Les premières communautés agricoles s'établissent vers 5500 av. J.-C. sur les rives fertiles du grand fleuve Jaune, périodiquement recouvertes d'alluvions. Elles cultivent des céréales (millet, blé et orge) et domestiquent le chien, le porc, le poulet, puis le bœuf, le mouton et le cheval. À partir de 1600 av. J.-C., les rois Shang étendent leur domination jusqu'en Mongolie au nord, et dans la vallée du fleuve Bleu au sud. Dans leurs cités-palais protégées par d'épaisses murailles, ils règnent entourés de nobles et de scribes qui utilisent déjà une écriture composée de petits dessins. Considérés comme étant les fils du Ciel, les rois président les cérémonies religieuses données en l'honneur de la déesse Terre et des ancêtres, assistés par les devins et les prêtres. Dans les ateliers, potiers et fondeurs de bronze maîtrisent déjà leurs techniques avec brio.

Les Chinois sont les premiers à maîtriser le travail du bronze.

La guerre n'empêche pas le progrès

L'autorité exercée par les Shang survit longtemps à travers la dynastie des rois Zhou qui les remplacent vers 1050 av. J.-C. Mais à partir de 475 av. J.-C., le pouvoir royal s'effrite et sombre peu à peu dans le chaos. Des princes affirment leur indépendance et se livrent des luttes sans merci. Cette époque troublée des Royaumes combattants prend fin en 221 av. J.-C. quand le souverain du royaume Qin l'emporte sur tous ses rivaux. En dépit des guerres incessantes, les progrès techniques sont étonnants. La fonte du fer, pratiquée bien avant qu'elle ne soit connue en Europe, stimule l'agriculture. Les outils en métal facilitent les défrichements ainsi que la

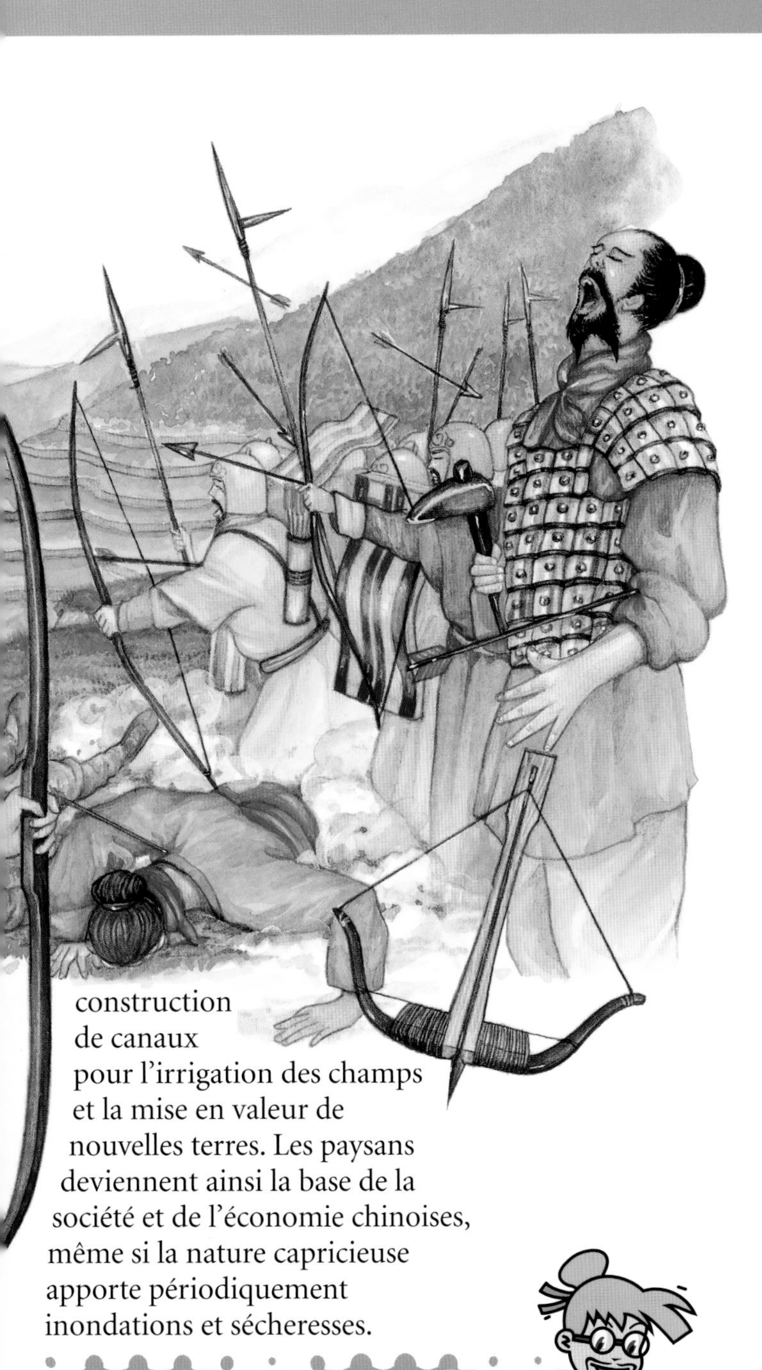

construction de canaux pour l'irrigation des champs et la mise en valeur de nouvelles terres. Les paysans deviennent ainsi la base de la société et de l'économie chinoises, même si la nature capricieuse apporte périodiquement inondations et sécheresses.

Avancez la monnaie !

Dès le XVe siècle av. J.-C., les Chinois commencent à utiliser une monnaie sous forme de coquillages percés d'un trou afin de pouvoir être enfilés en chapelet. Sept siècles plus tard, la monnaie devient métallique, en forme de bêche, de couteau ou de disque percé au centre.

Confucius va de royaume en royaume pour conseiller les princes.

Des maîtres à penser

Cette période coïncide avec l'apparition de deux systèmes de pensée qui vont marquer en profondeur la mentalité chinoise. Le premier, élaboré par Confucius (551-479 av. J.-C.), montre comment le respect des hiérarchies peut aboutir à un ordre social harmonieux. Au niveau de la famille, le fils doit se soumettre au père et honorer la mémoire de ses ancêtres disparus. À l'échelle de la société, les sujets doivent obéir à leur souverain. La seconde doctrine est le taoïsme issu des écrits de Lao-tseu (570-490 av. J.-C.). Elle vise à mettre l'homme en harmonie avec la nature grâce à la méditation et à la contemplation.

Lao-tseu, le second grand sage chinois.

Qin, le premier empereur

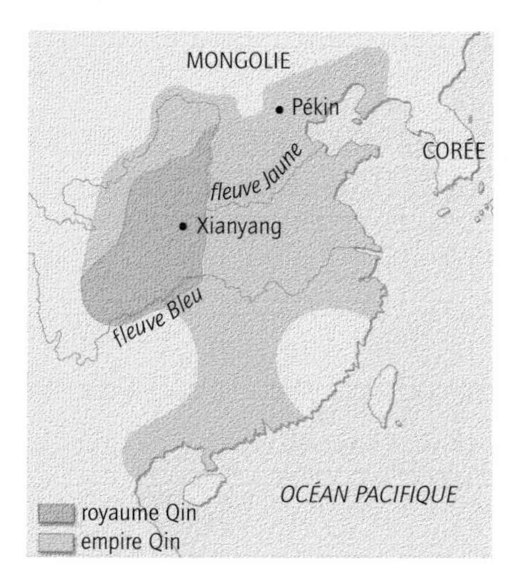

Devenu maître de la Chine par la force des armes, le roi Qin prend en 221 av. J.-C. le titre de Shihuangdi, ce qui signifie "premier souverain empereur". Avec lui naît l'empire chinois qui subsistera jusqu'en 1911.

L'armée ensevelie de l'empereur Qin, composée d'archers, de fantassins et de chevaux.

Tous les travaux, comme la construction des routes, sont surveillés par l'armée de l'empereur.

Une armée pour toujours

Ce roi autoritaire ne serait rien sans l'instrument principal de son pouvoir : son armée. Forte de ses soldats bien entraînés, des fantassins, des archers, des cavaliers, et surtout de ses armes nouvelles – l'arbalète et le char de combat –, c'est elle qui assure à Qin la victoire sur tous les autres princes. Pendant ses onze ans de règne, l'armée est au service de sa politique audacieuse et brutale. Même après sa mort, en 210 av. J.-C., elle continue de veiller sur lui sous la forme de milliers de soldats en terre cuite qui gardent son tombeau construit près de la capitale impériale Xianyang (*voir encadré ci-contre*).

Que de réformes !

Pendant son court règne, Qin réalise une œuvre considérable qui fait de lui le fondateur et l'organisateur de la Chine qu'il parvient à unifier. D'abord, il met en place un gouvernement centralisé. Il divise son vaste pays en trente-six provinces à la tête desquelles les gouverneurs appliquent ses décisions. Il impose ensuite un système unique de poids et mesures, de monnaie et d'écriture pour faciliter la lecture des lois dans tout l'empire. Il crée un réseau de routes impériales bordées d'arbres, surélevées pour parer aux inondations, et il réglemente l'écartement des roues des chariots pour favoriser la circulation. Enfin, il fait construire une ligne de défense contre les barbares des steppes du nord : c'est le début de la Grande Muraille.

Des méthodes brutales

Qin rompt avec la façon de gouverner de ses prédécesseurs. À la morale de Confucius qui met l'accent sur l'exemple et la vertu, il préfère la force. Il provoque alors l'opposition sourde des lettrés qui détiennent le savoir associé traditionnellement à l'exercice du pouvoir, et dont l'influence sur la population est réelle. Depuis son apparition en Chine, l'écriture bénéficie en effet d'un grand prestige et les manuscrits se multiplient. Aussi, lorsque Qin ordonne de mettre à mort plusieurs centaines de lettrés et de brûler de nombreux ouvrages, dont ceux de Confucius, il suscite une grande indignation. Peu après sa mort, des révoltes éclatent. Son fils Huhai, qui lui succède, est chassé.

La tenue des archers, comme celle de tous les soldats, est très colorée. Les couleurs changent selon leur grade et leur fonction.

La huitième Merveille du monde

Les archéologues affirment que le tombeau de Qin, localisé en 1974, n'est pas près de livrer tous ses secrets. La fantastique armée des 7 000 guerriers en terre cuite, plus grands que nature et aux visages tous différents, n'est qu'une petite partie du gigantesque mausolée dont la construction mobilisa 700 000 condamnés aux travaux forcés. Plus de 600 autres tombes (empereurs, rois, serviteurs...) ont été repérées, mais seulement une dizaine partiellement explorées. Si l'on en croit les textes anciens, il faudra déjouer bien des pièges pour s'approcher de la sépulture de Qin : aller à 40 m sous terre, traverser trois nappes d'eau, se protéger de la pluie de flèches prête à se déclencher automatiquement...

Un cavalier de l'armée de terre cuite. À l'origine, toutes les statues étaient peintes, mais les couleurs des uniformes se sont effacées avec le temps.

Une muraille à perte de vue

La Grande Muraille de Chine est le plus long ouvrage construit de main d'homme. Courant de manière discontinue sur plusieurs milliers de kilomètres de déserts, de montagnes et de plaines, cette immense barrière a nécessité des moyens considérables : selon la légende, chacune de ses pierres aurait coûté une vie humaine !

À partir du IVe siècle av. J.-C., les Royaumes combattants commencent à édifier des murs défensifs. Qin, le premier empereur, fait relier tous ces remparts. Une main-d'œuvre considérable participe à ce chantier titanesque : des centaines de milliers d'hommes de petite condition ou condamnés aux travaux forcés sont mobilisés pendant des dizaines d'années. L'enceinte, constituée de terre compactée et de briques séchées, mesure entre 6 et 18 m de haut, 8 et 10 m de large. Elle est flanquée de tours de guet sur lesquelles les soldats se relaient. Cette première muraille d'environ 3 000 km court de l'océan, à l'est, jusque vers l'actuelle province de Gansu au-delà du fleuve Jaune, à l'ouest. Destinée à protéger l'empire contre les attaques des peuples du nord, elle est aussi une barrière symbolique entre deux mondes : le chinois et le barbare.
À la suite de Qin, les Han continuent d'agrandir la Muraille. Puis, entre le XIVe et le XVIIe siècle, les empereurs Ming décident, face à la menace mongole, d'édifier un nouveau rempart au sud de l'ancien. Il est jalonné de 10 000 portes fortifiées et de 15 000 tours depuis lesquelles les guetteurs envoient et transmettent des signaux de fumée jusqu'à la capitale, Pékin. Un chemin de ronde, suffisamment large pour que cinq cavaliers y circulent de front, borde la totalité de la fortification.

Qui dit mieux ?

3 000, 6 000, 11 000 km... quelle est la longueur exacte de la Grande Muraille ? Pas facile à dire car il ne s'agit en fait pas d'un seul mur continu mais de plusieurs qui se suivent et parfois se doublent ou se triplent à des centaines de kilomètres de distance, sans compter certains tronçons partiellement en ruine. Voilà pourquoi tout le monde n'est pas d'accord sur la longueur de la célèbre Muraille !

Les Fils de Han

Au même moment, alors qu'en Occident s'épanouit l'empire romain, en Orient brille l'empire chinois des Han. Aujourd'hui encore, les Chinois sont fiers de s'appeler "Fils de Han", du nom de la dynastie qui domine le pays de 206 av. J.-C. à 220 ap. J.-C.

Grâce à ses cavaliers, l'armée assure la défense des frontières de l'empire.

Objet déposé dans une tombe représentant une tour de guet.

Un empire bien gardé

Pour assurer la stabilité intérieure de l'empire dont elle a hérité, la nouvelle dynastie des Han consolide les frontières et se défend des incursions nomades en réorganisant l'armée et en installant des garnisons jusqu'en Asie centrale, en Corée et au Vietnam. Les lances et les hallebardes des fantassins sont remplacées par des épées et des arbalètes ; une cavalerie légère et mobile est créée. La paix étant dès lors assurée, le commerce vers l'ouest se développe et devient rapidement prospère.

Rien ne leur échappe !

Dans leur capitale Chang'an (ancienne Xianyang), siège du gouvernement, les Han perfectionnent l'administration centralisée mise en place par l'empereur Qin. En 165 av. J.-C., ils instituent un examen unique pour recruter les fonctionnaires, principalement des lettrés dont l'importance ne cessera de grandir au fil de l'Histoire. Présents à tous les échelons, ces fonctionnaires organisent les transports et les échanges, surveillent les grands travaux, fixent les prix, font stocker les récoltes dans les greniers impériaux et collectent les impôts. Pour faire face aux dépenses grandissantes de l'État, ils contrôlent l'économie en instituant des monopoles sur les principales productions. Ainsi, seul l'État peut frapper la monnaie et vendre le sel, le fer, l'alcool et la laque (un vernis décorant meubles et objets).

Défunt revêtu d'un linceul composé de plus de 2 000 plaquettes de jade cousues de fils d'or.

Tous les trois ans, des examens sont organisés pour recruter des fonctionnaires.

Statuette d'une élégante dame de cour à l'époque des Han.

Brillant mais fragile

La Chine est alors un empire prospère dont la population est évaluée à plus de 57 millions d'habitants. Elle rayonne par le raffinement de son art (objets en bronze incisé, peintures murales et statuettes), par sa pensée imprégnée de la morale de Confucius et surtout par sa formidable avance technique sur l'Occident.
Mais la vie des paysans n'en est pas moins rude et les catastrophes naturelles qui frappent le pays, telles les inondations du fleuve Jaune, les ruinent. Désespérés, ils laissent éclater leur colère au cours de plusieurs révoltes. Celle des Turbans jaunes, en 184, ainsi que les multiples complots à la cour et la menace des Huns entraînent la chute des Han en 220. À nouveau divisée, la Chine entre dans une longue période de grands troubles qui ne prendra fin qu'à l'arrivée de la dynastie Tang (618-907), début d'un nouvel âge d'or.

Une si précieuse étoffe

En Chine, la soie est si prestigieuse qu'elle peut servir de monnaie d'échange. Il arrive que des fonctionnaires soient payés en rouleaux de soie ou que l'on règle ses impôts avec quelques écheveaux ! Elle est aussi la première marchandise échangée entre l'Orient et l'Occident, le long de la Route de la soie qui part de Chang'an et va jusqu'à Rome. Avec les produits de toutes sortes circulent aussi les idées : c'est par cette même route que le bouddhisme arrive en Chine à la fin du Ier siècle pour s'associer aux croyances en place.

Quels génies, ces Chinois !

Ils ont tout inventé, ou presque, et bien avant les autres. La brouette, la manivelle, l'ombrelle, le harnais de cheval, ce sont eux. Plus tard, le billet de banque, la porcelaine et l'imprimerie, encore eux ! Et puis tout ce qui suit…

Sur le fil de la soie
On ignore la date de son invention, mais on sait que dès 2300 av. J.-C., les Chinois tissent des étoffes de soie qu'ils obtiennent en élevant des vers à soie. Ces larves, nourries de feuilles de mûrier, tissent leurs cocons. Jetés dans l'eau pour être ramollis, ces derniers laissent apparaître un filament qui se dévide. C'est le fil de soie qui peut avoir une longueur de plus de 1 500 m. La production est entourée du plus grand secret. Malheur à celui qui le divulgue, il risque la mort !

Dans les petits papiers
Notre papier est fabriqué à partir d'une pâte selon un procédé mis au point par les Chinois au Ier siècle av. J.-C. Ils ont l'idée d'utiliser des chiffons ou des plantes fibreuses, comme le bambou, de les mettre à détremper dans l'eau, puis de les cuire dans un four où ils se transforment en une pâte visqueuse. Le mélange est coulé et pressé dans un moule rectangulaire. La feuille obtenue est étalée sur un mur chaud où elle sèche. Cette invention permet celle de l'imprimerie chinoise, au VIIIe siècle, bien avant que le papier ne soit connu en Europe.

Pour garder le nord... ou le sud
Mise au point au Iᵉʳ siècle, cette première boussole, qui sera perfectionnée dix siècles plus tard, utilise les propriétés de la magnétite, une pierre aimantée. Sur un plateau représentant la Terre, tourne une cuillère taillée dans la magnétite, dont le manche indique toujours le sud. Utilisée d'abord pour des pratiques divinatoires, la boussole est adoptée par les navigateurs vers le Xᵉ siècle. À bord de leurs bateaux, les Chinois n'ont plus qu'à garder le cap !

Où la Terre tremble-t-elle ?
On doit le sismographe, ce drôle d'appareil capable d'enregistrer les tremblements de terre, à Zhang Heng (78-139), un illustre savant à la fois astronome, historien, poète et peintre. Son détecteur se compose d'un récipient de bronze entouré de huit dragons tenant des billes entre leurs mâchoires. Quand une secousse survient, l'une des billes tombe dans la gorge béante d'une grenouille située en contrebas. La direction du séisme peut être alors déterminée et l'alerte donnée !

Le feu en fête
Ça claque, ça pétarade et soudain, le ciel s'illumine... C'est magique ! Pour célébrer l'avènement d'un empereur ou donner de l'éclat à leurs fêtes, les Chinois sont les premiers à utiliser les feux d'artifice. Mis au point au IXᵉ siècle, ces derniers sont fabriqués à partir de salpêtre, de soufre et de charbon de bois. Ce mélange explosif leur permet également de lancer les toutes premières fusées vers l'an 1000. Mais cette bien belle invention a aussi donné naissance à la poudre à canon. Introduite à partir du XIVᵉ siècle en Europe, elle fait désormais la loi sur les champs de bataille.

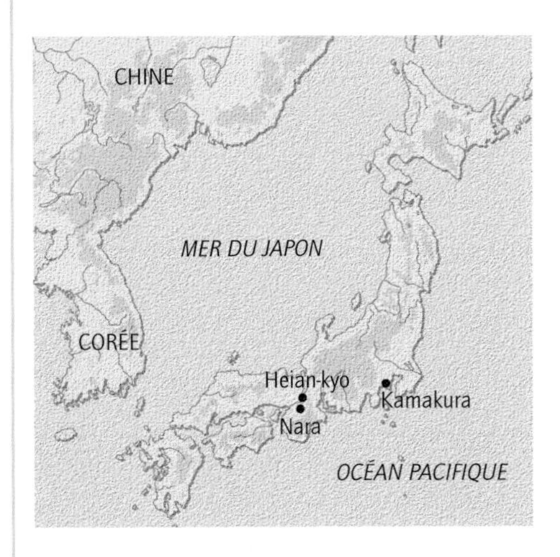

Au pays du Soleil levant

Éparpillé en un millier d'îles s'étirant sur près de 2 500 km, et soumis à une nature violente, le Japon entre lentement en scène au début de notre ère. Fier de sa civilisation originale, il est néanmoins placé dans l'orbite de son puissant et brillant voisin, la Chine.

Un clan après l'autre

Selon la tradition, le premier empereur est un certain Jimmu qui, vers 660 av. J.-C., impose l'usage des poteries à ses sujets et décide que le riz sera la base de leur nourriture. Pendant longtemps, le Japon ne parvient pas à faire son unité. Celle-ci est enfin réalisée au Ve siècle ap. J.-C., grâce aux souverains de la région centrale du Yamato qui étendent leur domination sur tout le territoire. Jusqu'au XIIe siècle, l'autorité est entre les mains de puissants clans familiaux qui se disputent avec acharnement le gouvernement du pays. Si le clan des Soga l'emporte en 587, les Nakatomi leur succèdent en 645 et les Fujiwara deviennent les maîtres du Japon de 850 à 1100. Avec eux, les empereurs ne détiennent plus guère le pouvoir réel.

Protégés par les kamis

Même si le Japon est unifié tardivement, ses habitants partagent des croyances communes basées sur la vénération des ancêtres et des forces de la nature. Ils croient que les âmes de leurs défunts se transforment en divinités ou en esprits appelés kamis, résidant au ciel ou sur terre, dans les cascades, les rivières, les vagues de l'océan, les cratères des volcans... Les kamis inspirent crainte et émerveillement. Les Japonais pensent qu'ils possèdent des pouvoirs extraordinaires, aussi ils les prient et leur apportent des offrandes dans les temples pour obtenir leur protection. Cette religion, le shintoïsme, se superpose et se mêle au bouddhisme qui arrive au VIe siècle depuis la Chine.

Prêtre shinto devant le temple d'Ise dédié à la déesse Amaterasu et abritant son miroir.

À l'école de la Chine

L'introduction du bouddhisme au Japon ouvre une ère nouvelle. En peu de temps, ses dirigeants assimilent l'essentiel de tout ce qui vient de la Chine, leur puissant voisin considéré comme un modèle à suivre. À son école, le Japon devient un État organisé et centralisé. Le savoir, par l'intermédiaire d'écrits bouddhistes, commence à se diffuser. Un système unique de poids et de mesures, un calendrier, une administration composée de fonctionnaires et un code de lois sont mis en place. Nara, la capitale bâtie sur le modèle de Chang'an la chinoise, est fondée en 710. Mais à la fin du IXe siècle, le Japon prend ses distances avec la Chine : sa propre civilisation peut désormais rayonner.

À Nara s'élève le temple Todaiji en l'honneur de Bouddha.

Des moines diffusent le bouddhisme dans tout le Japon.

Quelle brillante ancêtre !

La légende raconte qu'Amaterasu, la déesse du soleil, s'enferma dans une grotte quand son frère voulut prendre sa place dans le ciel, et qu'elle priva ainsi le monde de lumière. La jeune déesse du rire imagina une ruse : elle déposa un miroir devant la caverne et commença à danser. Les dieux, qui avaient accouru, éclatèrent de rire. Intriguée, Amaterasu sortit et fut aussitôt éblouie par son image reflétée dans le miroir. Les dieux refermèrent alors la grotte derrière elle et la lumière revint pour toujours sur le monde. Tous les empereurs du Japon considèrent qu'elle est leur ancêtre divine.

Splendeur et pauvreté

À partir de 794, l'empereur vit dans la nouvelle capitale baptisée Heian-kyo, le "lieu de paix et de pureté". Il s'entoure d'une cour brillante où s'épanouit un art de vivre très raffiné. C'est le début de l'époque Heian, bénie entre toutes.

Somptueux palais

Au nord de la capitale, se trouve le palais impérial. Comme en Chine, il symbolise le lieu suprême du pouvoir. Composé de plusieurs pavillons, il se distingue des autres bâtiments par ses murs extérieurs en bois brut et son toit couvert d'écorces de cyprès. Il abrite de vastes pièces décorées de peintures rehaussées de feuilles d'or. Séparées par des cloisons mobiles, les salles sont reliées par des galeries qui donnent sur des jardins ornés d'étangs, de rochers, de fleurs délicates et de pins aux formes tortueuses. Chaque jour, en un ballet incessant, courtisans, ambassadeurs et hauts fonctionnaires viennent au palais honorer l'empereur. Car si ce dernier ne détient pas de grand pouvoir politique, il bénéficie d'un immense prestige, surtout religieux.

À la cour, les dames rivalisent d'élégance.

Des nobles à une partie de chasse au faucon.

Hommes et dames de cour

Peu intéressés par la politique, les courtisans s'adonnent à leurs passe-temps et s'étourdissent de loisirs : courses de chevaux, chasses au faucon, tournois de tir à l'arc et de lutte, jeux de balles, concours de calligraphie – l'art de l'écriture –, de poésie et de musique. Les femmes participent à cette vie de cour, mais ne se montrent guère. Elles restent cachées derrière leur éventail ou leur paravent. Pendant que les hommes continuent de parler et d'écrire en chinois, elles mettent au point une écriture nouvelle, celle qui deviendra l'écriture nationale.

Les nobles portent aussi des costumes très élaborés : pantalons, tunique, veste à traîne et coiffe.

Heian-kyo, aujourd'hui Kyoto, résidence des empereurs.

Au jour le jour

Quel contraste avec la vie difficile de la majorité de la population ! À la merci des volcans, des ouragans, de la sécheresse, des insectes… et des impôts, les paysans survivent en cultivant le riz, le millet, le sarrasin, le soja, le mûrier et en plantant des arbres à laque. Les jours de fête qui célèbrent le repiquage du riz ou la fin des récoltes, tout le village participe aux réjouissances et boit du saké, un vin obtenu par la fermentation du riz. À l'intérieur de leurs maisons en bois, les paysans vivent sur la terre battue, assis en tailleur ou allongés, dormant tout habillés. Le fourneau en briques ou en pierres est considéré comme l'âme et le symbole de la maison. Lors d'une naissance ou d'un décès, il est éteint et nettoyé, parfois détruit et reconstruit. Deux petits autels séparés permettent à chaque famille de rendre un culte aux divinités shinto et à Bouddha.

Les montagnes, au Japon, couvrent les trois quarts du territoire et ne laissent la place qu'à des plaines étroites où les paysans cultivent la terre sans relâche pour survivre.

Histoires de femmes

Qui sont les premiers écrivains japonais ? Des femmes ! Maîtresses dans l'art d'écrire, elles rédigent à la cour lettres, poèmes, romans et journaux intimes. L'une d'entre elles, Murasaki Shikibu, écrit au début du XIe siècle le *Dit de Genji*, chef-d'œuvre de la littérature japonaise. Au fil des pages, on y découvre la vie à la cour et d'étonnantes habitudes : les femmes rasent leurs sourcils pour en dessiner de plus fins au milieu du front, elles se poudrent le visage en blanc et elles se noircissent les dents car leur blancheur enlaidit…

Le temps des samouraïs

Samouraï signifie “celui qui sert”. Ce guerrier, qui est au service de son chef, ne craint ni la douleur ni la mort, et rien ne peut le détourner de son devoir de loyauté. À partir du XIIe siècle, il fait la loi au Japon.

Combat de samouraïs.

Dans la lutte qui les oppose aux Minamoto, les Taira tentent de s'imposer par un coup de force retentissant : en 1159, ils attaquent le palais impérial et font prisonnier l'empereur.

La guerre des chefs

Depuis la fin du IXe siècle, le gouvernement central dirigé par les grandes familles du Japon vacille, incapable de faire régner l'ordre et de parer aux famines. Le pays sombre dans la guerre civile. En province, les riches propriétaires mettent sur pied des armées et se divisent en deux clans, les Taira et les Minamoto, qui s'affrontent avec férocité. En 1192, les Minamoto anéantissent leurs rivaux. Leur chef, Yoritomo, fonde un gouvernement militaire. Proclamé shogun, c'est-à-dire général en chef, il met l'empereur à l'écart et s'installe dans la ville de Kamakura. Pendant près de sept siècles, jusqu'en 1867, la classe des guerriers dirigée par ses chefs, les shoguns, domine le pays sans partage.

Tout pour l'honneur

Les samouraïs sont les seuls à porter deux épées, symboles de leur âme, qu'ils vénèrent comme des objets sacrés. Leur armure, faite de petites lamelles de fer laqué reliées entre elles par des cordons de soie, est aussi souple qu'une cotte de mailles, mais plus résistante et plus légère. Ces guerriers mènent une existence austère. Ils doivent obéir à un ensemble de règles morales, un code très strict qui prendra le nom de bushido au XVIIe siècle : honneur, fidélité, droiture et respect de l'adversaire sont leurs maîtres mots. Aussi, en cas de défaite, un samouraï doit se donner la mort pour éviter le déshonneur d'être fait prisonnier. C'est le seppuku ou hara-kiri.

Nuits blanches au théâtre

Au Japon, le théâtre est ancien : à la cour, les courtisans font des pantomimes lors des fêtes, et dans les temples shinto, de grandes mascarades sont organisées pour chasser les kamis malfaisants. Apparu à la fin du XIVe siècle, le théâtre nô mêle textes poétiques, musique et danse. Les acteurs, uniquement des hommes, portent des costumes somptueux, des masques en bois, et jouent des rôles précis : le méchant, l'amoureux, le voleur, le roi. Particulièrement prisées par les samouraïs, les représentations sont très longues : des journées et des nuits entières !

Deux samouraïs s'entraînent au jujitsu.

Soyez zen !

Vers 1200, une nouvelle forme de la religion bouddhiste se répand au Japon, appelée bouddhisme zen. Elle séduit particulièrement les samouraïs car elle cherche à atteindre la paix de l'esprit et la sagesse par des exercices de concentration et une sévère discipline. Pour se préparer au combat, les guerriers passent de longues heures à méditer, en se tenant assis en tailleur.
Ils pratiquent les arts martiaux, tel le jujitsu (qui donnera naissance au judo et à l'aïkido), dans des écoles spéciales, les ryu.
Sous la conduite de maîtres, ils apprennent ainsi à maîtriser leur énergie. Les samouraïs consacrent ensuite leur temps libre aux pratiques raffinées instituées par le bouddhisme zen : l'art de la calligraphie et de la poésie, ainsi que la cérémonie du thé qui peut durer quatre heures !

La cérémonie du thé se déroule selon des règles précises qui mettent l'accent sur la simplicité en accord avec l'esprit du zen.

Au pays des Khmers

Dans la péninsule indochinoise, le petit royaume des Khmers parvient à gagner son indépendance à partir du VIe siècle, à résister aux assauts répétés des Cham, ses voisins, et à agrandir son territoire. Au IXe siècle, le royaume devient un empire.

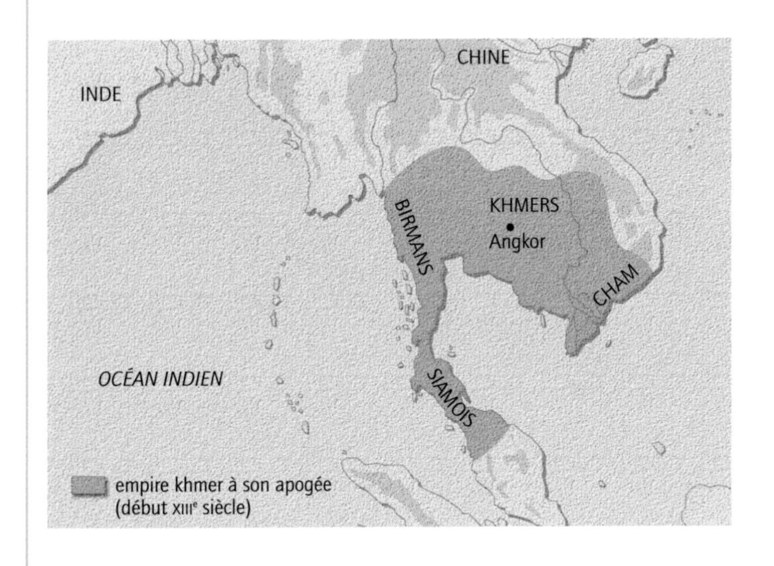

Les Khmers défrichent de nombreuses terres avec l'aide des éléphants. Ils inondent ensuite les nouvelles parcelles et les transforment en rizières où ils repiquent le riz trois fois par an.

À l'école de l'Inde

Malgré le rayonnement de sa brillante civilisation, ce n'est pas la Chine qui influence le plus l'Asie du Sud-Est, mais l'Inde, son autre riche voisine. Tous les royaumes de cette région sont très tôt "indianisés", qu'ils soient birman (Birmanie actuelle), siamois (Thaïlande), khmer (Cambodge) ou cham (au sud du Vietnam). Ce prestige tient à l'expansion de l'hindouisme et du bouddhisme nés en Inde, et au développement du commerce maritime. Dès les premiers siècles de notre ère, des marchands indiens abordent les côtes indochinoises pour se procurer des épices, des métaux précieux et de l'ivoire. Ils font alors connaître leurs techniques, leurs lois et leur écriture qui sont adoptées.

Du riz en abondance

Jayavarman II se proclame "empereur du monde" en 802. Sous son règne, les Khmers étendent leurs conquêtes, mais surtout développent des techniques agricoles très évoluées qui leur assurent une grande richesse. Un système ingénieux de canaux est construit à travers les champs. Il est alimenté par les pluies

de la mousson et, en saison sèche, par l'eau stockée dans d'immenses réservoirs artificiels, les barays. Les rizières demeurent ainsi inondées toute l'année, fournissant trois récoltes : de quoi nourrir la population et stocker le grain dans des réserves pour le vendre. Les surfaces cultivables sont agrandies grâce à de nombreux défrichements et le pays devient le grenier à riz de toute l'Asie du Sud-Est. À la fin du XIIe siècle, les Khmers sont les maîtres d'un empire qui comprend, en plus du Cambodge, le Vietnam du Sud, le Laos, la Thaïlande et la Birmanie. Le roi Jayavarman VII (1181-1218) immortalise sa gloire dans la pierre en agrandissant Angkor, la capitale. En 1431, le pillage de la ville par les envahisseurs siamois marque la fin de la splendeur khmère.

Jayavarman VII représente pour le peuple khmer le parfait souverain.

Entre Shiva, Vishnu et Bouddha

Propagé par les marchands indiens, l'hindouisme est adopté par les souverains khmers qui favorisent particulièrement le culte de Shiva et de Vishnu. À leur avènement, ils se doivent d'honorer ces dieux par la construction d'édifices religieux dans leur capitale qui ne cesse ainsi de s'agrandir au fil du temps. Quand le bouddhisme devient religion d'État avec Jayavarman VII, il se superpose aux croyances hindoues et de nouveaux temples ornés de statues de Bouddha surgissent aux côtés des anciens.

Temple d'Angkor, la capitale khmère, consacré à Vishnu.

Que d'or !

À la fin du XIIIe siècle, un Chinois raconte dans son carnet les fastes de la cour khmère. Il décrit le roi paré d'un diadème, de bracelets en or, de lourds colliers de perles et tenant à la main une épée en or. Lorsqu'il sort de son palais, debout sur un éléphant dont les défenses sont revêtues d'un fourreau d'or, le souverain est entouré de ses courtisans, épouses et concubines également à dos d'éléphant ou portés sur des brancards en or, et accompagnés de porteurs de parasols au manche en… or !

Angkor, la magnifique

Au cœur du royaume khmer, dans la plaine située au nord du lac Tonlé Sap, le roi Yaçovarman Ier (889-910) décide de marquer son règne par la construction d'une nouvelle capitale : Angkor sort de terre.

Visage de Bouddha sculpté sur l'une des tours du Bayon d'Angkor Thom.

Au fil des ans et des changements de rois, cinq temples surgissent à la gloire de Shiva. Au XIIe siècle, Suryavarman II décide d'installer une autre capitale non loin de là, donnant ainsi naissance à Angkor Vat : "la grande ville-temple". Des fossés remplis d'eau entourent un immense sanctuaire dédié à Vishnu. Au centre se dresse un fabuleux temple-montagne de pierre ciselée, composé de tours et de terrasses sur trois niveaux. Le premier accueille le peuple, le second est réservé aux prêtres et le plus haut n'est accessible qu'au grand prêtre et au roi. Le chantier est immense. Les bâtisseurs font venir près d'un million de tonnes de pierres pour le revêtement des édifices et les sculptures qui les couvrent. Ils construisent aussi autour du temple une vaste ville qui regroupe les demeures

Vue d'ensemble du sanctuaire d'Angkor Vat.

des nobles et des prêtres.
Au début du XIIIe siècle, le site s'enrichit d'une nouvelle merveille : Angkor Thom, "la grande ville royale". Son fondateur, le roi bouddhiste Jayavarman VII, la pare d'un joyau : le Bayon. Ce temple compte 54 tours portant 216 visages géants et sereins de Bouddha sculptés dans la pierre. À l'intérieur scintillent des statues en or, en argent, en bronze et en pierres précieuses. Après l'invasion siamoise, les rois khmers abandonnent Angkor. La végétation tropicale reprend ses droits, les habitations de bois disparaissent. Mais lorsque la cité est découverte par les Européens au milieu du XIXe siècle, ses très nombreux temples, ses murailles, ses immenses bassins, ses douves et ses chaussées sont encore de magnifiques ruines.

L'empire des steppes

Hissés sur des petits chevaux, ils déferlent dans un grand nuage de poussière sur les plaines d'Asie centrale pour semer la terreur et la ruine. Ce sont les redoutables cavaliers mongols. Chevauchant derrière leur chef, Gengis Khan, ils n'ont peur de rien ni de personne.

Sous la tente

Les Mongols viennent des steppes et des déserts du Sud de la Sibérie orientale. Regroupés par tribus, ils se déplacent à cheval avec leurs chameaux et leurs troupeaux de bœufs, de moutons et de chèvres. Dans leurs campements, ils s'abritent sous les yourtes, de grandes tentes circulaires en feutre, soutenues par des perches en bois et couronnées d'une cheminée. Pendant que les femmes s'occupent du bétail et préparent les repas, les hommes dressent les chiens et les chevaux, s'entraînent au maniement des arcs et initient les jeunes garçons. Lorsque le départ est décidé, les tentes sont démontées et chargées sur le dos des animaux avec les peaux, les fourrures, les outres remplies d'eau.

Gengis Khan le terrible

Ces nomades vivent avant tout de raids. Montés sur de petits chevaux robustes, leurs guerriers peuvent couvrir de grandes distances, opérer par surprise et décocher des flèches, leur arme principale, en plein galop. Au XIIIe siècle, ils se rallient à un chef de tribu rusé et audacieux, Temüjin. En 1206, celui-ci se fait proclamer Gengis Khan – "chef suprême" –,

Gengis Khan gouverne entouré de sa famille et de ses conseillers.

et il fonde l'État mongol. Soutenu par une armée de 200 000 hommes, il part alors à l'assaut des royaumes voisins. Très vite, son nom fait trembler le continent asiatique, conquis à une vitesse foudroyante dans le sang. Les villes fortifiées du Nord de la Chine tombent une à une. En 1215, Pékin est incendié et ses habitants massacrés. Puis c'est au tour de l'Asie centrale où de splendides cités comme Samarkand et Boukhara sont mises à sac. Enfin, la Perse est soumise. À sa mort en 1227, Gengis Khan laisse à ses héritiers un empire immense qui couvre l'essentiel de l'Asie continentale.

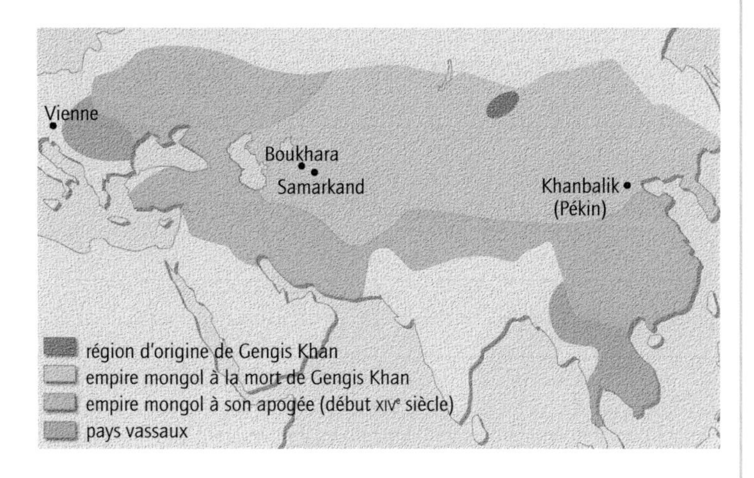

En dépit d'une résistance acharnée, les villes fortifiées chinoises se rendent une à une.

Après la guerre, la paix

Au sein des territoires conquis, la paix et l'ordre mongol règnent. La Route de la soie est rouverte, le commerce retrouve son ancienne prospérité, des missionnaires de toutes les religions circulent librement. Très efficace, un corps spécial de courriers à cheval sillonne les terres en tous sens pour transmettre rapidement les décisions. En revanche, aux marges de l'empire, les cavaliers mongols poursuivent leurs offensives. Ils ravagent la Pologne et menacent Vienne en 1241. Kubilaï, petit-fils de Gengis Khan, achève la conquête de la Chine vers 1280 et s'installe à Pékin, rebaptisé Khanbalik. Jusqu'à sa mort, en 1294, il règne avec faste sur le plus vaste empire qui ait jamais existé.

Tiens-toi bien !

Incroyable mais vrai, les Mongols sont des hommes très disciplinés entre eux. Ils y sont bien obligés car la loi que leur impose Gengis Khan est des plus sévères. Qu'ils soient coupables de meurtre ou de mensonge grave, qu'ils pillent avant que l'ordre n'en soit donné ou qu'ils s'endorment alors qu'ils doivent garder le camp, la sentence est la même : la mort ! Personne n'échappant à la loi, les Mongols ont été le peuple le plus obéissant du monde.

Dans les mers bleues du Sud

Leur royaume est l'immense océan Pacifique saupoudré de milliers d'îles qu'ils atteignent à bord de leurs catamarans. À l'écart du monde pendant plusieurs millénaires, des peuples de marins explorent les terres inconnues, s'y établissent et occupent un continent entier : l'Océanie.

D'île en île

À partir de 2000 av. J.-C., des navigateurs expérimentés et audacieux se lancent dans la conquête du Pacifique, dans le but de trouver de nouvelles terres. Ils n'ont laissé aucune trace écrite de leur histoire, mais grâce à leurs langues, aux animaux domestiqués (cochons, poulets, chiens), aux plantes cultivées (bananiers, cocotiers, ignames) et aux poteries fabriquées, les archéologues ont pu reconstituer leurs diverses migrations. Probablement originaires de l'Indonésie et de la Malaisie actuelles, ces courageux marins abordent tout d'abord les îles et archipels de la Mélanésie puis, au fil des siècles, ils continuent à s'aventurer vers le nord ou le sud-est et parviennent à coloniser la Micronésie et enfin la Polynésie. Ils accostent les terres les plus lointaines, comme l'île de Pâques et Hawaï, vers 500 ap. J.-C., et la Nouvelle-Zélande vers 650.

Les premiers catamarans

Pour affronter l'immensité de l'océan, les colonisateurs naviguent à bord de pirogues qu'ils adaptent à la haute mer. Composés de deux coques qui leur assurent une bonne stabilité, ces catamarans peuvent résister aux tempêtes. Équipés d'une grand-voile triangulaire tendue entre deux mâts, ils sont manœuvrés à l'aide de pagaies. Les bateaux les plus longs mesurent plus de 20 m et transportent une vingtaine de personnes qui trouvent un abri entre les deux coques reliées par

Équipés pour de longues traversées, ces bateaux sont pourvus d'un four où cuit la nourriture nécessaire à l'équipage : légumes, porc et poisson. Des outils sont aussi embarqués en cas d'avaries : haches à lame de silex, râpes de corail, ciseaux en os...

une sorte de radeau. Construites avec des matières végétales, les embarcations sont d'une grande solidité. Quille, mâts et coque sont en bois de cocotier, les cordages en bourre de coco et les voiles en feuilles de palmier tressées.

Lors des fêtes, les hommes les plus importants portent des parures qui nécessitent de longs préparatifs. Des coiffes savantes de plumes ou de feuilles de palmier surmontent leur tête et ornent leur poitrine. Ils participent aux danses conduites par des chamans, sortes de sorciers. Aujourd'hui encore, ces pratiques se perpétuent.

La mer n'a pas de secrets pour eux

À ton avis, comment se guider sans cartes ni instruments ? Le génie des peuples de l'Océanie repose en fait sur une excellente connaissance de la mer. Ils se dirigent d'après le soleil, les étoiles, les variations du vent, la direction des flots et la couleur de l'eau. Et en observant les algues, la taille des vagues, le vol des oiseaux de mer et le déplacement des poissons, ils peuvent même deviner que des terres sont proches.

Tatouages, plumes et fêtes

Les îles d'Océanie sont habitées par des peuples très divers, mais certaines de leurs coutumes et croyances se ressemblent. Les Océaniens ont tous pratiqué l'art du tatouage. Celui-ci révèle l'âge, le rang social, les dons magiques de chacun. Les plumes d'oiseaux, surtout s'ils sont rares, donnent aussi des pouvoirs. Ce sont donc les guerriers ou les chefs qui les portent, sur leur casque ou en magnifiques capes. Lors des grandes fêtes – naissances, mariages, funérailles, semences, récoltes… –, des cochons sont sacrifiés, cuits et partagés entre tous, puis se succèdent chants et danses rituelles. Certaines de ces pratiques se sont maintenues après l'arrivée des Européens au XVIIIe siècle.

Un homme des îles Marquises au corps couvert de tatouages.

Les géants de l'île de Pâques

Le Hollandais Roggeveen aborde l'île le jour de Pâques 1722, et donne ce nom à ce petit rocher perdu à l'est du Pacifique. Jusqu'alors méconnue, l'île devient vite célèbre pour les étranges statues de pierre qui veillent sur elle. Selon la légende, c'est le grand dieu Make Make qui leur a ordonné de se lever et de marcher. Mais qui représentent-elles vraiment ?

Les gigantesques statues de l'île de Pâques ont gardé leur secret pendant longtemps et c'est récemment que l'on a commencé à comprendre pourquoi et comment elles ont été édifiées. Les premiers habitants de l'île, venus de Polynésie vers 500, sont des marins de génie. Établis sur leur nouvelle terre, ils développent une civilisation très originale. Vers 800, ils commencent à sculpter près d'un millier de statues géantes, les moai. Elles représentent des hommes au nez pointu, aux lèvres fines, les bras serrés contre un corps de petite taille. À l'origine, de grands yeux de corail blanc ou de tuf rouge ornaient les orbites aujourd'hui vides. Les archéologues pensent que les géants de pierre, qui font en moyenne 4 m de haut pour

20 tonnes, étaient taillés dans la roche volcanique en position couchée, puis étaient déplacés sur des troncs d'arbres ou des pierres rondes. Plus de 600 statues sont dressées tout autour de l'île, le regard tourné vers l'intérieur des terres. Elles sont ainsi disposées car elles représentent les chefs morts qui, devenus des dieux, veillent sur la communauté. Des cérémonies religieuses ont lieu devant elles et les habitants de l'île craignent beaucoup leurs pouvoirs magiques. Vers 1500, de violentes luttes éclatent entre les tribus menacées de famine. Environ 200 statues restent dans leur carrière, inachevées. Au XIXe siècle, la population pascuane disparaît presque complètement, emportant avec elle nombre de secrets de sa fascinante civilisation.

Pour tout l'or d'Afrique

Même si le climat et la nature parfois hostiles leur imposent un certain isolement, les multiples ethnies d'Afrique noire accueillent et adoptent des techniques et des cultures venues d'ailleurs. En s'ouvrant sur le monde extérieur, certains peuples établissent un fructueux commerce avec de lointaines contrées grâce à l'or qui abonde sur leurs terres. Ces échanges leur assurent la richesse tout en faisant circuler des idées et des croyances nouvelles comme l'islam et le christianisme. Ainsi naissent à l'ouest comme à l'est des empires aussi brillants qu'éphémères.

L'éveil de l'Afrique

Avant le début de notre ère, les terres du Sahara et de l'Est saharien sont loin d'être arides. Leurs routes et leurs points d'eau favorisent les rencontres, la circulation des hommes et des idées. De petits empires naissent et prospèrent…

SAHARA
Nil
MER ROUGE
Méroé
Axoum
OCÉAN ATLANTIQUE
OCÉAN INDIEN
Éthiopie (XIVe siècle)
pays de Kouch

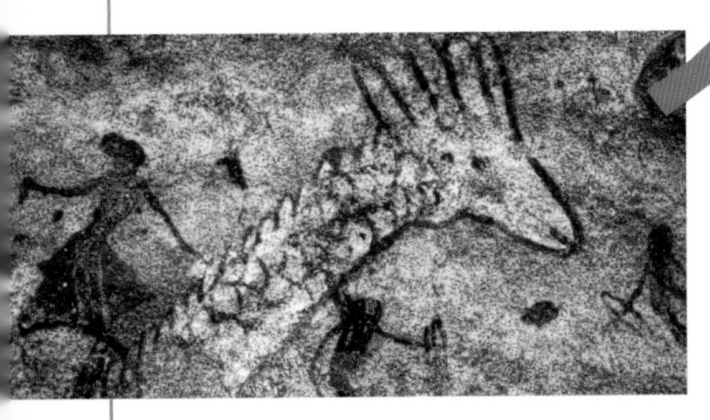

Dans le Sud saharien, des peintures sur les parois de grottes témoignent de l'activité des hommes entre 4000 et 2500 av. J.-C.

Les verts pâturages sahariens

De 8000 à 2500 av. J.-C., au temps où le climat en Afrique est très humide, les hommes fréquentent les rives des lacs, des fleuves et des nombreux marais du Sahara. Ils vivent de pêche, de chasse et d'élevage. Les pâturages qui couvrent les montagnes attirent les gardiens de troupeaux de bovins. Les éleveurs et les agriculteurs taillent et polissent les pierres pour en faire des outils, et ils fabriquent de belles poteries. À la fin de cette époque, le climat redevient plus sec et l'agriculture apparaît. Des plantes tropicales comme le mil, le sorgho et le riz commencent à être cultivées. Le cuivre et le fer sont travaillés.

Au pays de Kouch

Au début de notre ère, des pyramides sont encore construites le long du Nil par les rois de Kouch, un petit empire situé dans l'actuel Soudan, à l'est du Sahara. Lointain héritier de l'Égypte pharaonique qu'il a dominée entre 746 et 664 av. J.-C., et dont il a adopté les croyances et les pyramides, ce riche pays est

À Méroé se dressent des pyramides destinées à abriter des tombeaux royaux. Tombées dans l'oubli, elles ont été redécouvertes au début du XIXe siècle.

l'un des berceaux de la civilisation africaine. Bien arrosées par les pluies tropicales d'été, ses terres sont fertiles et Méroé, sa capitale, s'épanouit au carrefour des pistes caravanières reliant la mer Rouge, l'Égypte et le Tchad. Très prospère jusqu'au Ier siècle ap. J.-C., l'empire commence ensuite à décliner et disparaît au IVe siècle en laissant une langue et une écriture encore mal connues aujourd'hui.

Enluminure d'un ancien évangile éthiopien.

Très chrétienne Éthiopie

À l'est de Kouch, le royaume éthiopien naît au cours des derniers siècles avant notre ère et rayonne dès le IIIe siècle ap. J.-C. Ses souverains, qui font remonter leurs origines au roi d'Israël Salomon, prennent le titre de "roi des rois" et conquièrent le pays de Kouch. Leur prospérité repose surtout sur le commerce. Romains, Grecs, Perses et Indiens viennent leur acheter ivoire, or, esclaves, écailles de tortue (pour en faire des peignes), myrrhe, encens et plantes aromatiques.

Vers 330, le roi Ezana se convertit au christianisme. Des moines et des prêtres propagent la nouvelle religion, des églises et des monastères sont construits, la Bible est traduite en guèze, la langue éthiopienne. Au Xe siècle, le royaume s'effondre et l'islam s'implante dans la région. L'Éthiopie renaît de ses cendres deux siècles plus tard et ses souverains réintroduisent la foi chrétienne. Mais au XVIe siècle, la guerre avec les États musulmans voisins ravage le pays qui ne retrouvera plus sa splendeur passée.

Dans leurs monastères, les moines recopient des manuscrits pour diffuser les écrits chrétiens.

Unique au monde !

Les montagnes éthiopiennes de Lasta renferment un étonnant trésor religieux : dix églises taillées à même le roc au début du XIIIe siècle. L'une d'elles, Saint-Georges, est particulièrement originale : les ouvriers ont d'abord creusé de larges tranchées de 12 m de profondeur autour d'un bloc auquel ils ont donné la forme d'une croix grecque qu'ils ont ensuite évidée. Si on en croit la légende, la réalisation de ces petites merveilles coûta au roi sa fortune !

Au pays de l'or

En Afrique occidentale, entre le fleuve Sénégal et la boucle du Niger, les gisements d'or abondent. Ce métal précieux que l'on vient chercher de très loin est à l'origine de la fortune et de la splendeur de deux puissants empires.

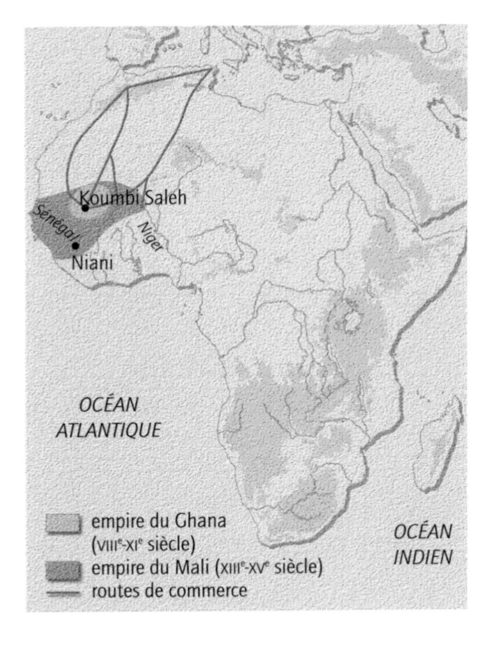

Poisson utilisé comme poids pour peser la poudre d'or.

Ghana, l'empire de l'or

Au bout de l'une des principales voies caravanières d'Afrique du Nord se trouve Koumbi Saleh, la capitale de l'empire du Ghana dont le rayonnement est grand entre le VIIIe et le XIe siècle.
Là, les marchands arabes et berbères affluent, chargés de pièces d'étoffes et de plaques de sel qu'ils échangent contre de l'or.
Ce commerce florissant profite surtout au souverain. Il prélève des taxes sur toutes les marchandises qui entrent et sortent de son royaume, et détient le monopole de l'or.
Sa capitale, grandiose, est composée de deux cités. L'une, musulmane, est peuplée de négociants venus du Maghreb. L'autre abrite le palais du roi et sa cour ; elle est entourée de bois sacrés où sont pratiqués les rites de l'animisme, la religion d'Afrique noire.

Lorsque le roi paraît

Il gouverne avec l'aide de dignitaires et tient régulièrement des séances publiques. À ces occasions, il paraît somptueusement vêtu, protégé par un parasol – signe de sa dignité suprême – et encadré de pages portant des boucliers et des épées en or.
Tous les matins, il parcourt sa capitale à cheval, s'arrête pour écouter les plaintes de ses sujets et rend aussitôt

Ni vu ni connu

Au Ghana, on pratique un curieux commerce sans se voir ni se parler. Les marchands déposent leurs articles à vendre pendant la nuit et se retirent. Quand ils reviennent, le lendemain, ils trouvent en face de chaque objet une quantité d'or. Si elle leur convient, ils l'emportent et laissent la marchandise. Sinon ils reprennent leur bien et laissent l'or.

autorité directe le royaume du Mali, berceau de son empire, où se trouve la capitale Niani. Et ce sont des envoyés impériaux qui surveillent les territoires conquis, tel le Ghana, et qui mobilisent des guerriers en cas de conflit. Sur les rives du Niger, des cités comme Tombouctou et Djenné abritent l'essentiel du commerce saharien et de superbes mosquées en argile sont édifiées.

la justice. Malgré sa nombreuse armée, il ne peut empêcher en 1076 la conquête de son empire par les Almoravides musulmans issus d'une tribu du Sahara.

Mali, vaste et riche empire

La disparition du puissant Ghana profite au petit royaume du Mali qui, à partir du XIIIe siècle, s'étend pour devenir pendant deux siècles l'empire le plus grand et le plus riche d'Afrique de l'Ouest. Pour administrer son vaste territoire compris entre l'Atlantique et la boucle du Niger, l'empereur, appelé Mansa, instaure un système souple. Il place sous son

Grâce à sa mosquée et au marché qui se déroule chaque semaine à ses pieds, Djenné devient un grand centre religieux, intellectuel et commercial.

Un pèlerin en or

Imagine une caravane de 60 000 hommes, des milliers de dromadaires chargés d'or, 500 esclaves précédant leur maître... C'est ainsi que le roi du Mali, le Mansa Moussa, quitte Niani en 1324 pour se rendre en pèlerinage à La Mecque. En chemin, au Caire, il distribue de telles quantités d'or que la valeur du précieux métal baisse pendant plusieurs années !

Trafic intense à l'est

Alors que dans les ports de l'océan Indien, un important trafic se tisse avec les contrées de l'Orient, des royaumes, à l'intérieur des terres, connaissent leur heure de gloire, tel le Grand Zimbabwe, puissant et mystérieux.

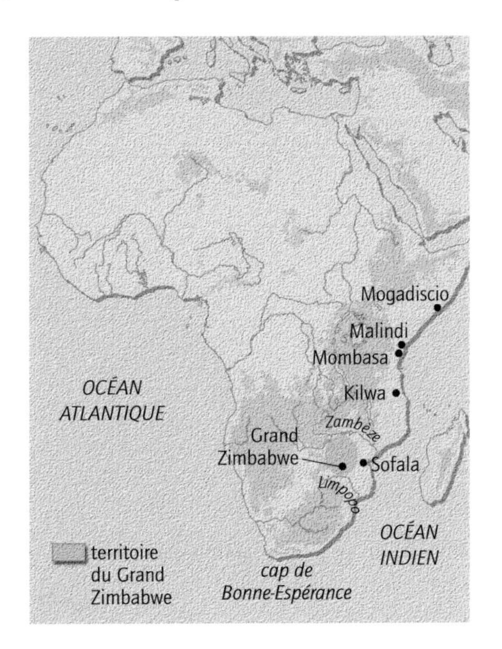

Le long de la côte swahilie

En 1497, quand le Portugais Vasco de Gama passe le cap de Bonne-Espérance et longe la côte de l'Afrique orientale avant d'atteindre l'Inde, il découvre des ports inconnus des Européens, débordant de richesses, à l'activité intense et bruyante. Ces cités côtières – Sofala, Kilwa, Mombasa, Malindi ou Mogadiscio – se sont multipliées depuis le XIe siècle, au moment où l'islam connaît une grande expansion et favorise le commerce. Là se côtoient des musulmans – Arabes, Persans, Indiens – et des Africains, des princes, des marchands, des artisans, des hommes de lettres, des missionnaires… Ils font rayonner la civilisation swahilie basée sur sa propre langue et sur un mode de vie entremêlant les influences de tout l'océan Indien.

À bord de leurs solides boutres, les navigateurs affrontent l'océan Indien.

Cap vers l'Orient

Les navigateurs de ces contrées connaissent les secrets de l'océan Indien où les vents s'inversent tous les six mois, permettant en été et en automne d'aller vers l'Asie et de revenir ensuite en hiver et au printemps. Et grâce à leurs instruments comme l'astrolabe (qui permet de connaître la hauteur des astres au-dessus de l'horizon), ils peuvent s'aventurer loin. Dans les ports swahilis, les marchands musulmans embarquent esclaves, peaux de léopard, ivoire, cornes de rhinocéros, or, cuivre, fer… Ils partent ainsi vers l'Orient d'où ils ramènent dans les cales de leurs navires des tissus, des épices (poivre, muscade, cannelle), des perles et de la porcelaine de Chine dont les Africains raffolent. Les Asiatiques apprécient aussi ces fructueux échanges commerciaux : au XVᵉ siècle, un amiral chinois vient à deux reprises dans le port de Malindi avec ses escadres de jonques.

Un mystérieux royaume

C'est à Sofala, le port le plus méridional de la côte, qu'arrivent les richesses du Grand Zimbabwe : l'ivoire, le cuivre et surtout l'or qui donne toute sa puissance à ce royaume situé à l'intérieur des terres. Le haut plateau encadré par les vallées du Zambèze et du Limpopo est dominé par la capitale du royaume et ses enceintes monumentales, les zimbabwe (ce qui signifie "maisons en pierres"), qui représentent aujourd'hui les ruines les plus grandioses d'Afrique noire. Un vrai mystère entoure ces étranges constructions d'environ 10 m de haut et 7 m d'épaisseur, édifiées à partir du IXᵉ siècle environ. Elles semblent cependant être le signe d'un pouvoir fort et organisé nécessitant une administration efficace. Après avoir rayonné entre 1200 et 1450, le Grand Zimbabwe s'affaiblit et disparaît pour des raisons inconnues.

Un nom glorieux

Le Zimbabwe passa sous la domination du royaume zoulou des Matabélés au XIXᵉ siècle. Dès 1890, des colons britanniques s'installèrent dans la région qui prit le nom de Rhodésie en l'honneur du colonisateur Cecil Rhodes. En 1980, le pays, redevenu indépendant, troqua son nom contre celui de Zimbabwe pour faire revivre le souvenir de son ancien passé glorieux.

Parmi les ruines du Grand Zimbabwe, on distingue une enceinte de 250 m de périmètre entourant des habitations et une tour conique. Mais on ignore encore quelle était sa fonction.

L'Amérique précolombienne

Pendant des milliers d'années, les peuples américains, coupés du reste du monde, s'installent sur les terres glacées de l'Alaska, dans les forêts tropicales du golfe du Mexique, dans les plaines du Mississippi ou sur les hauts plateaux de la cordillère des Andes. Peu à peu, ils élaborent des modes de vie adaptés à leur environnement et à leurs ressources, ils cultivent le maïs, se sédentarisent et établissent des communautés bien organisées. Certains, comme les Olmèques, les Mayas, les Aztèques et les Incas, bâtissent de grandes cités et de puissants empires. Ces peuples connaîtront tour à tour la gloire, la décadence ou l'anéantissement.

Les Indiens d'Amérique du Nord

Entre 70000 et 12000 av. J.-C., selon les hypothèses, des hommes posent le pied sur les terres d'Amérique du Nord et s'y installent. Qu'ils peuplent les Grandes Plaines, les forêts épaisses, le Grand Nord ou les déserts brûlants, ils vivent en groupes très diversifiés au sein d'une nature grandiose, apprivoisée petit à petit.

D'un continent à l'autre

Les premiers hommes qui atteignent l'Amérique viennent à pied de Sibérie, à une époque où les glaces des régions polaires forment un vaste pont naturel entre le nord-est de l'Asie et l'Alaska. Sans le savoir, ils sont les premiers Américains. Ce ne sont ni des explorateurs ni les conquérants d'un Nouveau Monde, mais de simples chasseurs se déplaçant derrière les troupeaux de mammouths, de caribous ou de bisons. Au fil des siècles, ils s'accroissent et explorent les immenses espaces qui les mènent en Amérique centrale vers 19000 av. J.-C., puis vers l'extrême sud du continent américain vers 10000 av. J.-C.

Pipe servant à fumer le tabac lors des cérémonies religieuses.

Premiers villages et grandes cités

Pendant des millénaires, les populations d'Amérique du Nord ont un mode de vie nomade, basé sur la chasse, la pêche et la cueillette. Vers 1000 av. J.-C., dans les forêts de l'Est, des groupes bien organisés commencent à pratiquer l'agriculture et à s'installer dans des villages. Les Adenas, dans la vallée fertile de l'Ohio, cultivent le tournesol dont ils consomment les graines et la racine. Les Hopewell, qui leur succèdent vers 100 av. J.-C., se nourrissent de maïs et vendent, jusqu'au golfe du Mexique et à la région des Grands Lacs, des poteries et des objets en pierre, en cuivre et en mica que l'on a retrouvés dans leurs tombes. Les premières cités d'Amérique du Nord sont édifiées par des populations établies le long du Mississippi à partir du VIIIe siècle ap. J.-C. Regroupant jusqu'à 30 000 habitants, elles sont le signe d'une prospérité qui repose

Statuette déposée dans une tombe, représentant une femme Hopewell.

sur la culture d'un maïs résistant venu du Mexique, et sur les échanges de sel, de silex ou de peaux. En leur centre s'élèvent de grands amas de terre battue, les mounds. Ceux-ci abritent des sépultures et supportent, à leur sommet, les demeures des personnages importants et surtout les temples dédiés aux ancêtres. Le mound de Cahokia, la plus vaste des cités, mesure ainsi 30 m de haut.

Dans le village de Mesa Verde blotti au pied d'une falaise, les habitants, proches de leurs voisins mexicains, bénéficient de leur influence dans le travail de la terre et l'artisanat.

Une extraordinaire diversité de peuples

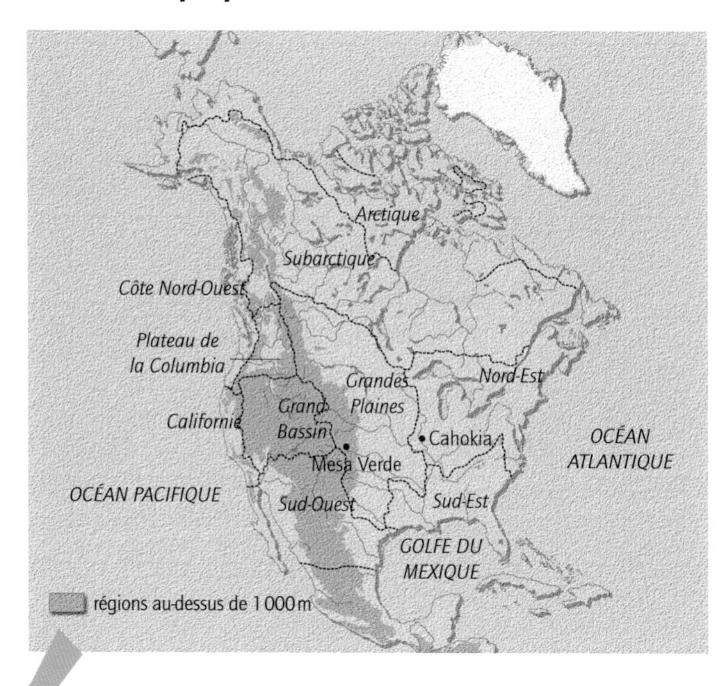

Territoires occupés par les Indiens d'Amérique du Nord.

Les Indiens se répartissent en plusieurs groupes ethniques. Avec le temps, ils mettent au point des modes de vie adaptés à leur environnement. Dans le Grand Nord, les Inuits – ou Esquimaux – chassent le morse, le phoque et le caribou en été, et regagnent leurs villages pour l'hiver. Dans les forêts du Nord-Est, les Iroquois, divisés en tribus guerrières, abandonnent tous les dix ans les sols épuisés par les cultures et rebâtissent de nouveaux villages, constitués de vastes huttes collectives recouvertes de plaques d'écorce. Les Grandes Plaines sont occupées par des agriculteurs qui partent à pied en expéditions chasser le bison. Le Sud-Ouest désertique voit éclore des villages de terre et d'argile, tels que Pueblo Bonito ou Mesa Verde, construits dans les abris naturels des canyons. Ils sont habités par des agriculteurs, les Pueblos, qui cultivent le maïs et le coton. Au XVIe siècle, l'arrivée des Européens, conquérants du Nouveau Monde, va bouleverser irrémédiablement le mode de vie des populations indiennes.

Un nom qui trompe énormément

Quand Christophe Colomb débarque en Amérique en 1492, il pense qu'il est en Inde, et donc qu'il va rencontrer les Indiens ! Même s'il s'est trompé, l'usage de ce nom est resté. Aujourd'hui, tu peux employer le nom d'Amérindiens (les Indiens d'Amérique), ou celui de Précolombiens.

Étonnants Olmèques

C'est en Amérique centrale qu'est pratiquée pour la première fois la culture du maïs, vers 5000 av. J.-C. Cette "invention" permet l'épanouissement de différentes civilisations. L'une d'elles, la société olmèque, se développe dès le Ier millénaire av. J.-C., mais aujourd'hui encore, elle garde pour nous bien des mystères…

Au cœur de la forêt tropicale

Au bord de l'actuel golfe du Mexique, dans une région dominée par des volcans et couverte de forêts et de marécages, un peuple étonnant, les Olmèques, sort de l'ombre à partir de 1000 av. J.-C. environ. Leur agriculture, pratiquée sur des terres particulièrement fertiles, leur assure deux récoltes de maïs par an. Mais l'originalité de ce peuple tient surtout à l'ampleur de ses monuments, au raffinement de ses œuvres d'art et à la richesse de l'héritage légué aux peuples voisins.

Statuette enterrée près d'un lieu de culte en guise d'offrande.

Bâtisseurs et artistes

Les villages des paysans olmèques sont groupés autour de vastes cités, telles San Lorenzo et La Venta. Habitées par les personnages les plus importants de la société – princes, nobles et prêtres – celles-ci sont avant tout des centres religieux où se déroulent des cérémonies. Ces cités se composent d'immenses plates-formes artificielles parcourues par un réseau de canaux souterrains, d'enceintes, de cours, de vastes palais rectangulaires et d'amas de terre abritant des sépultures et surmontés de temples. On y a retrouvé des sculptures colossales taillées dans le basalte, des statuettes, des haches, des colliers et des pendentifs finement ciselés dans des roches dures. Ces objets sont d'autant plus remarquables qu'ils sont réalisés avec des meules, les outils métalliques n'existant pas. Hormis les énormes statues représentant des têtes humaines, la plupart des sculptures figurent des êtres surnaturels et terrifiants, souvent inspirés d'animaux de la forêt : le serpent, le caïman et surtout le jaguar, l'un des dieux principaux des Olmèques, avec le dieu du maïs et celui de la mort. On pense que de telles réalisations ont exigé l'acheminement des matières premières par une main-d'œuvre nombreuse, les blocs de basalte étant extraits dans des carrières éloignées d'une centaine de kilomètres.

Un bel héritage

Si on ignore pourquoi la civilisation olmèque disparaît brutalement vers 300 av. J.-C., on sait que son influence est profonde auprès de toutes celles qui lui succèdent. Les Olmèques apportent, dans la région et au-delà grâce aux échanges commerciaux, un calendrier solaire, un système arithmétique et une écriture constituée de hiéroglyphes, dont témoignent les stèles sculptées.

Les blocs de basalte, pesant plusieurs dizaines de tonnes, sont transportés à travers la forêt et sur les cours d'eau avant d'être taillés sur place. Ils servent à la construction de tombes comme celles-ci, longtemps prises pour des monuments dédiés au dieu jaguar.

Signes de noblesse

Sais-tu que la mutilation des dents et la déformation du crâne, obtenue à l'aide de planchettes et de bandages très serrés, sont des signes de noblesse chez les Olmèques ? Plus tard, les nobles mayas les imiteront et porteront comme eux d'énormes coiffes en plumes, des colliers ainsi que des pendentifs en jade – une pierre fine qui, à leurs yeux, a bien plus de valeur que l'or !

Dans les cités mayas

La cité de Palenque, où s'élèvent temples, palais et pyramides, connaît son heure de gloire entre 600 et 950.

Au peuple maya, on doit la civilisation la plus prestigieuse de l'Amérique ancienne. S'épanouissant dans des cités-États de pierre dominées par des temples majestueux et de splendides palais, elle atteint le sommet de son développement entre 250 et 900.

Le maïs est roi

Très stable, le peuple maya occupe un territoire composé de trois régions : les hautes terres volcaniques et fertiles du Guatemala, les forêts du nord du Guatemala et du Belize, et la péninsule aride du Yucatán dans l'actuel Mexique. Les Mayas doivent leur nom au maïs, culture de base et nourriture principale de ce peuple. S'y ajoutent la culture du coton, des haricots, de la courge, des piments et du cacao – qui donne une boisson réservée aux nobles et aux prêtres –, ainsi que l'élevage de dindons et de chiens dont les Mayas consomment la chair. Même s'ils pratiquent l'irrigation en prélevant l'eau dans des puits naturels, leur outillage, en bois ou en pierre, reste très rudimentaire. Les Mayas ne connaissent ni la roue ni l'élevage d'animaux de trait, et ils transportent matériaux et marchandises à dos d'homme.

"Les Grecs du Nouveau Monde"

À l'image de la Grèce antique, le pays maya est dominé par des cités-États indépendantes, contrôlant chacune plusieurs villages dispersés habités par les paysans. Ces cités sont presque constamment en guerre afin d'agrandir leur territoire et de consolider leur puissance, mais aucune ne réussit à s'imposer. Peuplées de milliers d'habitants, comme Tikal, Palenque ou Copán, elles s'organisent autour d'un ensemble de pyramides à étages, de palais, de temples et de vastes places. Le cœur de ces cités est le centre religieux élevé à la gloire des princes dirigeants, chefs politiques et religieux à la fois. De grandes cérémonies s'y déroulent. Celle qui marque l'accession au trône d'un prince est accompagnée de sacrifices humains, et d'une nouvelle construction qui vient se superposer aux précédentes. Avec le temps, les bâtiments s'enchevêtrent. Tikal compte ainsi plus de 3000 édifices !

Une société pyramidale

La société maya obéit à une organisation hiérarchisée. Elle est dirigée par un chef héréditaire, le Grand Soleil, dont le pouvoir se transmet de père en fils aîné. Sorte d'intermédiaire entre les dieux et la population, et considéré lui-même comme un dieu, il est chargé de la bonne marche du monde. Il gouverne avec l'aide de responsables civils et militaires, et il s'appuie sur un groupe social privilégié rassemblant les guerriers, les nobles et les prêtres. Les artisans groupés en corporations et les commerçants se distinguent de la masse du peuple, constituée par les paysans, les ouvriers et les esclaves. Le rôle des femmes est encore mal connu, mais leur importance est certaine car elles participent aux cérémonies les plus prestigieuses.

Des prisonniers, aux pieds de guerriers et de dignitaires richement vêtus, attendent d'être sacrifiés.

Le jeu de balle

Pratiqué par toutes les civilisations précolombiennes, il ne s'agit pas vraiment d'un sport, mais plutôt d'une pratique religieuse accompagnant les grandes cérémonies. Ce jeu se déroule dans un espace sacré au cœur de la cité, composé de deux talus de pierre et d'une allée centrale. Deux équipes doivent se renvoyer une balle de caoutchouc avec les hanches ou les cuisses, sans jamais la toucher avec les pieds ni les mains. Pas très facile !

La gloire des Mayas

Les Mayas ne constituaient pas un peuple politiquement et culturellement unifié. Cependant, grâce aux vestiges, aux sculptures et aux manuscrits qui sont parvenus jusqu'à nous, il est possible d'apprécier l'ampleur de l'héritage laissé par ces populations dans les domaines religieux, scientifique et artistique.

Parmi l'élite, rares sont ceux, comme cette femme, qui savent lire et écrire.

Des dieux exigeants

Même si on peut affirmer que la religion occupe une place centrale dans la vie des Mayas, il est difficile de définir avec précision leurs croyances et leurs rites. Certaines divinités ont une importance particulière comme Itzamna, le dieu du ciel, du jour et de la nuit, maître de l'art de l'écriture, Chac, le dieu de la pluie, ainsi que les dieux du maïs et de la mort. Toutes ont une personnalité double : aucune n'est entièrement bonne ou mauvaise. Elles peuvent être tantôt jeunes, tantôt âgées, masculines ou féminines. Elles imposent aux fidèles qu'ils se mutilent, et notamment qu'ils offrent leur sang après s'être percé le lobe de l'oreille ou d'autres parties du corps. Le sacrifice suprême est le suicide, grâce auquel les Mayas offrent leur vie au dieu vénéré.

Ah Puch, l'un des dieux de la mort, symbolisé par un squelette.

Lire dans le ciel et les astres

Les prêtres sont au service de cette religion. Pour honorer correctement les dieux, ils interrogent les astres et calculent le temps. Ces grands savants utilisent les connaissances des Olmèques et mettent au point deux calendriers. L'un, sacré, comporte 260 jours, et chaque mois porte un nom. Il permet de baptiser les nouveau-nés et de prédire leur avenir. L'autre, basé sur le soleil, comprend 365 jours répartis en 18 mois de 20 jours et un mois de 5 jours en fin d'année. Le temps est divisé à partir de l'observation des astres, que les prêtres-savants scrutent du haut d'observatoires comme celui de Chichén Itzá. Ils parviennent ainsi à prévoir les éclipses et à évaluer au jour près la révolution de la planète Vénus. Grâce aux avancées obtenues dans cette science, les Mayas deviennent d'excellents mathématiciens. L'unité de leur système est la vingtaine, au lieu de la dizaine que nous utilisons. Ils emploient trois types de symboles pour écrire leurs nombres : un ovale en forme de coquillage figure le 0, un point vaut 1 et un tiret, 5.

Une écriture imagée

Les scribes écrivent sous forme de signes, les glyphes, sur des bandes de papier faites d'écorce de figuier et pliées en accordéon. L'écriture maya n'a pas d'alphabet et elle n'est pas encore totalement déchiffrée. Sur les milliers de manuscrits élaborés par les Mayas, il n'en reste aujourd'hui que quatre, précieusement conservés.

Ce codex semble représenter une scène de chasse impliquant des animaux mythologiques.

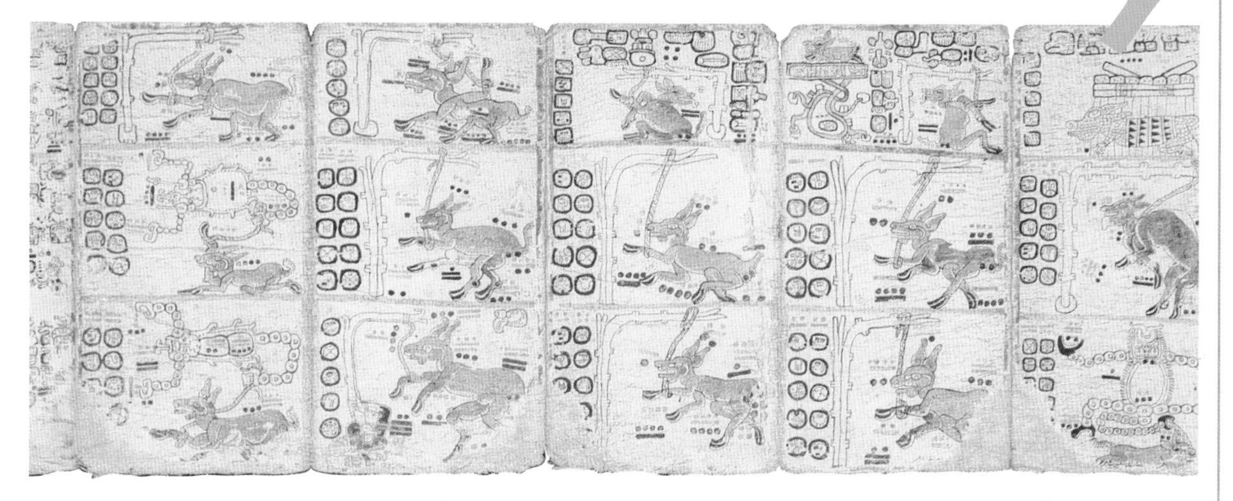

Prodigieux architectes

Les prouesses architecturales des Mayas étonnent encore. En plein cœur de la forêt tropicale, avec des moyens techniques rudimentaires, ils ont édifié plus de quatre-vingts cités en pierre dominées par des édifices à étages abondamment sculptés. Les plus impressionnants sont les pyramides de Tikal, hautes de 40 m, badigeonnées à l'origine de peinture rouge et surmontées de crêtes ornées de sculptures.
Les architectes mayas sont les seuls de l'Amérique ancienne à avoir mis au point une voûte, en élevant deux murs se rapprochant de plus en plus l'un de l'autre, jusqu'à ce qu'une pierre suffise pour la fermer.

Les Aztèques et le culte du Soleil

Leur esprit guerrier et leur raffinement sont tels que les Aztèques sont craints autant qu'admirés. Entre le XIVe et le XVIe siècle, ce peuple écrit une nouvelle page de l'histoire de l'Amérique ancienne : glorieuse, brève et sanguinaire…

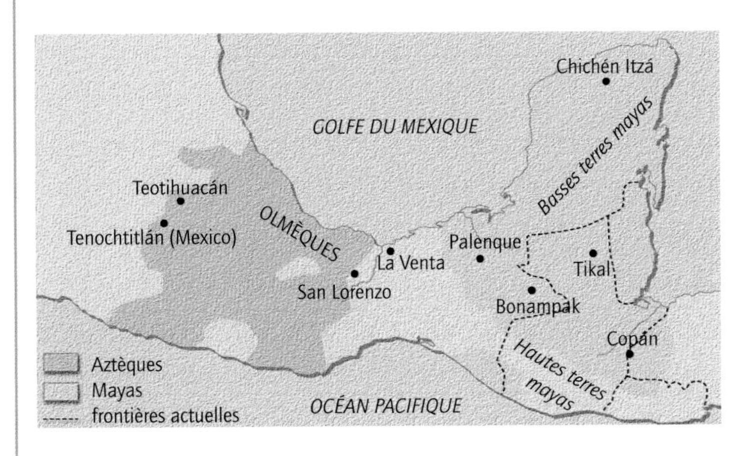

Migration et conquête

À l'origine, ceux qui se nomment eux-mêmes "Mexicas" sont des nomades venus du nord du Mexique. En 1325, chassés de toutes parts, ils trouvent refuge sur une petite île du lac Texcoco et fondent Tenochtitlán, la future Mexico. Guerriers redoutables, ils imposent leur domination de plus en plus loin. Au début du XVIe siècle, ils contrôlent ainsi un empire rassemblant 10 millions d'habitants et s'étendant de la vallée de Mexico au Guatemala. Les provinces conquises doivent verser un tribut annuel (or, pierres précieuses, peaux de jaguar, coton, plumes…) et honorer Huitzilopochtli, le Soleil, dieu de la guerre et protecteur des Aztèques.

Un archipel au milieu d'une lagune, tel est le site de Tenochtitlán.

Des hommes, des dieux et du sang

Vénéré aux côtés d'autres divinités comme Quetzalcóatl, le Serpent à plumes, ou Tlaloc, le dieu de la pluie, Huitzilopochtli est lié à un culte exigeant d'innombrables sacrifices humains. Aussi les guerres incessantes ont-elles un but religieux : fournir des prisonniers vivants, futures victimes offertes au Soleil. Celui-ci doit en effet être nourri avec "l'eau précieuse" – le sang humain – pour éviter

Ce couteau taillé dans le silex sert aux sacrifices humains.

Après lui avoir arraché le cœur, on précipite la victime sacrifiée sur les marches du temple.

la destruction du monde. Le sacrifice oriente toute l'activité des guerriers et des prêtres, qui occupent une place particulière dans la société. Les prêtres reçoivent un rude enseignement dans les écoles des temples. Certains se spécialisent dans l'étude des herbes médicinales ou de l'astronomie afin de prédire l'avenir. Seuls les plus méritants pratiquent les sacrifices. Le simple soldat, quant à lui, peut accéder au grade envié de guerrier de haut rang grâce à la capture de quatre ennemis.

Chacun à sa place

Le souverain aztèque, appelé tlatoani, "celui qui a la parole", est élu par un conseil de nobles, de prêtres et de guerriers. Pour gouverner son empire, il est assisté par des dignitaires qui rendent la justice et prélèvent les impôts dans les provinces. L'empereur inspire un profond respect. Nul n'est autorisé à le regarder dans les yeux et tous doivent, en sa présence, se tenir pieds nus et tête baissée. Ses contacts sont rares avec la plus grande partie de la population, les macehualli ou "hommes du commun", qui sont en majorité des agriculteurs astreints à l'impôt et au service militaire. Les esclaves choisissent volontairement leur condition lorsqu'ils sont trop pauvres pour subvenir à leurs besoins. Artisans et marchands appartiennent à des catégories sociales plus prestigieuses.

L'ultime choc des armes : Espagnols contre Aztèques.

Le retour du Serpent à plumes

Quand l'Espagnol Hernán Cortés débarque en 1519 avec une poignée de soldats, des chevaux et des armes à feu, l'inquiétude des Aztèques est à son comble : des signes funestes se sont multipliés dans le ciel, et cette année-là coïncide dans le calendrier aztèque avec la date du retour du redoutable dieu Quetzalcóatl ! L'empereur Moctezuma II tergiverse. Doit-il accueillir Cortés comme un dieu ou le combattre comme son pire ennemi ? Les Espagnols ne le laissent pas réfléchir bien longtemps. Moctezuma II est fait prisonnier. Il meurt en 1520 et son empire s'écroule peu après.

Le fabuleux marché de Mexico

Selon la légende, la vie errante des Mexicas devait s'arrêter lorsqu'ils verraient un aigle posé sur un cactus. En 1325, cette vision leur apparaît sur un îlot perdu au milieu des marécages, au cœur de l'actuel Mexique. Ils stoppent leurs déplacements et fondent leur capitale : Tenochtitlán (Mexico), le "lieu du cactus".

Deux siècles suffisent aux Aztèques pour faire de cet endroit inhospitalier l'une des plus grandes villes de l'époque, peuplée d'environ 300 000 habitants. Il leur a fallu beaucoup d'énergie et de ténacité pour gagner du terrain sur les marécages, créer et entretenir des canaux, relier les îlots par des ponts et des chaussées, et aménager des aqueducs qui alimentent la ville en eau douce ! Une digue assure la liaison avec la terre ferme. Sur des jardins flottants poussent des fruits, des fleurs et des légumes...
De très loin, on aperçoit les silhouettes de l'immense palais royal et du Grand Temple. Au centre de la cité, ce dernier, très impressionnant, est surmonté de ses deux sanctuaires jumeaux consacrés aux dieux Huitzilopochtli et Tlaloc. Non loin de là, au marché de Tlatelolco, le spectacle est dans la rue. Chaque jour, une foule constituée de milliers de personnes se presse autour des marchands qui proposent de tout : poteries, maïs, plumes, plantes médicinales, masques en or, tomates, avocats, haches de cuivre... Comme la monnaie est inconnue, les achats se règlent avec des fèves de cacao ou des pièces de tissu, sous l'œil attentif des juges chargés de la surveillance du marché.

L'Inca, fils du Soleil

Le mot “inca” désigne à la fois le peuple qui conquiert et domine le plus vaste empire d'Amérique du Sud, et l'empereur lui-même, qui se dit le fils du Soleil. Ce dernier personnifie le pouvoir exercé sur les populations très diverses composant l'empire, qui atteint son apogée au XVe siècle.

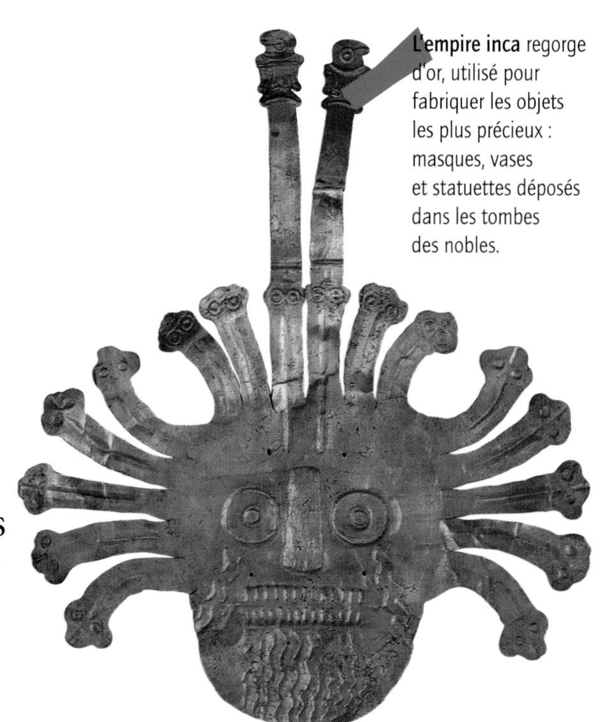

L'empire inca regorge d'or, utilisé pour fabriquer les objets les plus précieux : masques, vases et statuettes déposés dans les tombes des nobles.

Des souverains tout-puissants

Parmi les nombreuses tribus qui peuplent le Pérou, les Incas créent au XIIe siècle, dans la vallée de Cuzco, un État dirigé par un premier souverain, Manco Cápac. À partir du XIVe siècle, ils dominent leurs voisins par la force des armes. Le règne de Pachacutec, débuté en 1438, marque le début d'une grande et rapide expansion. À l'arrivée des Espagnols en 1532, l'empire inca compte entre 5 et 10 millions d'habitants et s'étend sur 4 000 km le long de la cordillère des Andes. L'empereur en est le maître absolu et prétend avoir comme ancêtre le Soleil, le dieu Inti. Il ne regarde jamais celui qui lui parle et on ne l'approche que les yeux baissés. À sa mort, son corps est conservé dans son palais où les serviteurs continuent de s'empresser autour de lui, puis il est momifié.

Dominer par la force

Pour contrôler un territoire si vaste aux peuples si divers, les empereurs imposent une organisation centralisée par des méthodes parfois brutales. Ils rendent obligatoires l'usage d'une langue commune, le runasimi (baptisé "quechua" par les Espagnols), ainsi que le culte du dieu Soleil. Des populations entières, qui résistent à la domination inca, sont déplacées et remplacées par des colons fidèles. À l'intérieur des quatre grandes provinces ordonnées autour de Cuzco, des fonctionnaires règlent la vie du peuple en distribuant les corvées, en collectant les impôts et en rendant la justice.

Cuzco, la capitale

Dans la cité fondée en 1200 se dresse le palais de l'Inca, véritable ville en miniature habitée par des centaines de femmes, les concubines de l'empereur, et des serviteurs. À proximité se trouve la Maison des femmes choisies (les "Vierges du Soleil"), où plus de 1 500 jeunes filles sont enfermées pour servir le dieu Soleil. Rien n'est plus beau que le Jardin doré, un édifice aux murs couverts de plaques d'or, qui abrite les momies des empereurs défunts. La forteresse de Sacsahuamán, avec ses impressionnants murs d'enceinte, protège Cuzco de l'ennemi.

La route inca

De Cuzco partent les quatre grandes routes de l'empire reliées par d'innombrables chemins secondaires. Ce réseau de 16000 km est très bien adapté au relief montagneux : des escaliers et des tunnels permettent de franchir pentes et montagnes, tandis que des ponts de corde suspendus enjambent les rivières. Ces voies permettent le déplacement des armées, des marchandises – à dos d'homme ou à dos de lama – et des messagers de l'État, les chasquis. Ces derniers doivent informer l'empereur de tout événement survenu sur son territoire, en se relayant tous les 2 ou 3 km. Ainsi, une information peut être transmise entre Quito et Cuzco, soit une distance de 2000 km, en quelques jours à peine.

Vivre au rythme des saisons

Sur les pentes vertigineuses des Andes, le peuple inca travaille dur pour subsister. Réglementée étroitement par l'État, la vie est ponctuée par les saisons et les nombreuses fêtes religieuses : l'année compte plus de 150 jours fériés !

Machu Picchu, la cité bâtie en terrasses à l'ombre du pic du Huayna Picchu.

Les travaux des champs

La plupart des Incas sont agriculteurs : ils cultivent les terres qui leur sont attribuées selon le nombre de leurs enfants, ainsi que celles réservées au dieu Soleil et à l'empereur. Les récoltes de ces dernières sont stockées dans des entrepôts. Elles servent à nourrir les prêtres et à fournir les offrandes aux dieux. Sur les hauts plateaux, même à plus de 4000 m d'altitude, la pomme de terre, alors inconnue en Europe, est reine. Dans les vallées plus chaudes poussent le maïs, les haricots, le piment, le coton et la coca, dont les feuilles sont mastiquées. Des troupeaux de lamas et d'alpagas sont élevés pour leur laine et leur viande.

La mastication des feuilles de coca trompe la faim et la fatigue.

De rudes corvées

Passé l'âge de 50 ans, les anciens sont pris en charge par la communauté qui les loge et les nourrit. Mais sa vie durant, le petit peuple est soumis à des contraintes sévères. On ne peut voyager ni se marier sans autorisation officielle, et surtout il est obligatoire d'effectuer chaque année des corvées pour

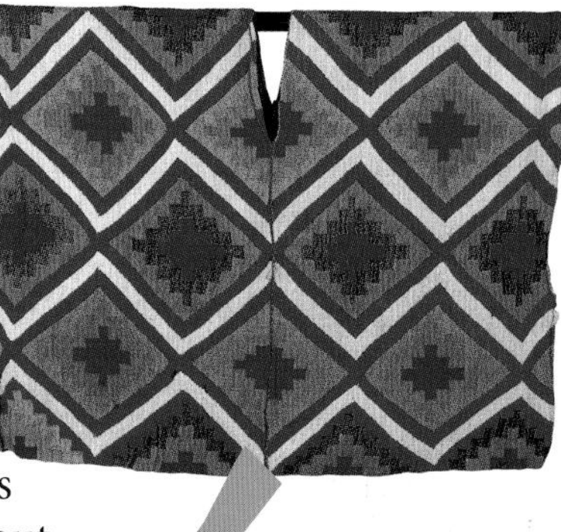

Après la conquête, les Espagnols exploiteront l'art inca du tissage.

le compte de l'État. Les femmes doivent livrer des étoffes en laine tissée. Les hommes sont réquisitionnés pour accomplir de gigantesques travaux collectifs : aménagement des champs en terrasses sur le flanc des montagnes, extraction de l'argent dans les mines du mont Potosí, construction de canaux, de routes, de forteresses, de temples et de palais. L'ampleur de ces réalisations étonne encore aujourd'hui : avec de simples outils en pierre et en cuivre, les Incas bâtissent des édifices colossaux dans des lieux parfois difficiles d'accès, comme Machu Picchu. Ils savent assembler d'énormes blocs de pierre taillés avec une telle précision que l'emploi de ciment est inutile. Aucun séisme n'en a eu raison !

La cité perdue

Sais-tu quel est le site le plus visité d'Amérique latine ? C'est la cité de Machu Picchu, découverte par un historien américain, Hiram Bingham, en 1911. Solitaire, perché à 2 000 m d'altitude au cœur d'un îlot montagneux, cet ensemble exceptionnel de monuments en pierre est coupé des basses terres par des gorges qui le rendent inaccessible lors de la saison des pluies. On pense que Machu Picchu a servi de refuge aux derniers Incas révoltés contre les Espagnols en 1536.

Place à la danse et à la musique !

Les fêtes liées aux semailles, à la floraison ou aux récoltes donnent lieu à de grandes réjouissances et rythment l'année qui commence en décembre, lors du solstice d'été. En juin, le retour du soleil est célébré pendant neuf jours avec des offrandes de chicha, la bière de maïs. En septembre, lors de la fête de la lune, on prie pour la fécondité des femmes. En novembre, la fin de l'année est marquée par la fête des défunts et la sortie des momies. Parées de leurs plus beaux vêtements, elles sont promenées sur des sièges d'or ou de simples litières. À toutes ces occasions, des danseurs et des musiciens se mêlent aux processions. Certaines festivités exigent que l'on sacrifie des lamas et parfois de jeunes enfants…

De nombreux instruments de musique rythment les danses lors des cérémonies et des défilés : flûtes droites, flûtes de Pan, conques perforées, tambourins, sonnailles et grelots...

Index

Le numéro de page en italique signifie que le mot indexé se trouve seulement dans la carte géographique.

E

F

G

H

I

J

K

S

T

U

V

W

X-Y

Z

Crédits iconographiques

Couverture : Lessing/AKG images

p. 6-7 : Lessing/AKG. p. 8-9 : I. Stalio. p. 10 h : Larrieu/RMN ; b : S. Giampaia. p. 11 h : S. Giampaia ; b : Lewandowski/RMN. p. 12 h : RMN ; b : Lewandowski/RMN. p. 13 bg : S. Giampaia ; d : Ojeda/RMN. p. 14 md : Lenars/EXPLORER ; mg : S. Giampaia. p. 15 g : RMN ; d : Lenars/EXPLORER/Beaux-Arts. p. 16 g : S. Giampaia ; d : Chuzeville/RMN. p. 17 h : Schormans/RMN ; m : GIRAUDON. p. 18 : S. Giampaia. p. 19 h : Lewandowski/RMN ; b : Wojtek/HOA-QUI. p. 20 h : Lessing/AKG ; b : I. Stalio. p. 21 bg : I. Stalio ; bd : GEOPRESS/EXPLORER. p. 22 hg : S. Giampaia ; bd : Lewandowski/RMN. p. 23 h : Simanor/HOA-QUI ; m : S. Giampaia. p. 24 : I. Stalio. p. 25 h : I. Stalio ; b : Mattes/EXPLORER. p. 26-27 : J.-M. Poissenot. p. 27 coin bd : I. Stalio. p. 28 : I. Stalio. p. 29 h : Index/BRIDGEMAN ART LIBRARY ; bg : I. Stalio ; d : Sonia Halliday & Laura Lushington. p. 30-31 : INKLINK. p. 31 md : F. Maruéjol. p. 32 h : GIRAUDON ; bg : Lessing/AKG ; bd : Lewandowski/RMN. p. 33 h : F. Maruéjol ; m : GIRAUDON ; b : F. Maruéjol. p. 34 : INKLINK. p. 35 h : Lewandowski/RMN ; bg : F. Maruéjol ; bd : Lewandowski/RMN. p. 36-37 : INKLINK. p. 38 h : INKLINK ; mb : Sioen/HOA-QUI. p. 38-39 b : INKLINK. p. 39 h : J. Torton. p. 40-41 : INKLINK. p. 41 coin bd : Lessing/AKG. p. 42 h : É. Souppart ; md : INKLINK. p. 43 h : F. Maruéjol ; b : Chuzeville/RMN. p. 44-45 : INKLINK. p. 46-47 : Lessing/AKG. p. 48-49 : Jean/RMN. p. 49 : S. Giampaia. p. 50 h : J.-M. Poissenot ; b : Lessing/AKG. p. 51 hg : J.-M. Poissenot ; md : RMN ; bg : Chuzeville/RMN. p. 52-53 : INKLINK. p. 53 md : Photos12.com/ARJ. p. 54 mg : Sonia Halliday Photographs ; bd : S. Giampaia. p. 55 : S. Giampaia. p. 56 h : I. Stalio ; bg : Le Bacquer/EXPLORER. p. 57 bg : I. Stalio ; hd : BRIDGEMAN GIRAUDON/LAUROS. p. 58 m : Lewandowski/RMN ; bd : Lessing/AKG. p. 59 : INKLINK. p. 60 h : INKLINK ; b : Lessing/AKG. p. 61 md : Larrieu/RMN ; b : INKLINK. p. 62 h : Hios/AKG ; b : INKLINK. p. 63 h : Lessing/AKG ; b : INKLINK. p. 64-65 : J.-M. Poissenot. p. 65 bd : Lewandowski/RMN. p. 66-67 : S. Giampaia. p. 68-69 : S. Giampaia. p. 70-71 : S. Giampaia. p. 72-73 : S. Giampaia. p. 73 coin bd : Lewandowski/RMN. p. 74 : Sonia Halliday Photographs. p. 75 m : Blot/RMN ; b : INKLINK. p. 76 hm et bg : INKLINK ; m : Lewandowski/RMN. p. 76-77 : INKLINK. p. 77 hm : Sonia Halliday Photographs ; md : Lewandowski/RMN. p. 78-79 : S. Giampaia. p. 79 coin bd : INKLINK. p. 80 h : INKLINK ; b : Lessing/AKG. p. 81 h : SCALA ; b : INKLINK. p. 82 d : RMN. p. 83 h : INKLINK ; b : Lewandowski, Ojeda/RMN. p. 84 b : INKLINK. p. 85 h : AKG ; b : Lewandowski/RMN. p. 86 h : J.-M. Poissenot ; bg et bd : Lewandowski/RMN. p. 87 h : J.-M. Poissenot ; md : Blot/RMN ; bg : SCALA. p. 88 m : AKG ; b : SCALA. p. 89 h : AKG Berlin ; b : S. Giampaia. p. 90 d et m : Lessing/AKG ; bd : SCALA. p. 91 hd : SCALA ; mg : Lessing/AKG ; b : SCALA ; coin bd : Lessing/AKG. p. 92 h : Lewandowski/RMN ; b : Connoly/AKG. p. 93 h : S. Giampaia. p. 94-95 : S. Giampaia. p. 96 h : SCALA ; b : DAGLI ORTI. p. 97 md : Photos12.com/ARJ ; b : INKLINK. p. 98 h : BRIDGEMAN ART LIBRARY ; md : Birch/Sonia Halliday Photographs ; bd : Lorne/EXPLORER. p. 99 hd : Wolf/EXPLORER ; m : Birch/Sonia Halliday Photographs. p. 100-101 : Tapisserie de Bayeux, XIe siècle, avec autorisation spéciale de la ville de Bayeux. p. 102 hd : Schormans/RMN ; mg : Ojeda/RMN ; b : Forman/AKG. p. 103 : G. P. Faleschini. p. 104 m : Hamon/RMN. p. 104-105 : G. P. Faleschini. p. 105 h : Schormans/RMN ; bg : Lessing/AKG ; bd : G. P. Faleschini. p. 106 h : Berizzi/RMN ; bg : Lessing/AKG ; bd : BRIDGEMAN GIRAUDON/LAUROS. p. 107 hg : G. P. Faleschini ; md : Photos12.com/ARJ. p. 108-109 : G. P. Faleschini. p. 110 md : Ojeda/RMN. p. 111 hd : Schormans/RMN ; m : SCALA ; b : G. P. Faleschini. p. 112 : INKLINK. p. 113 m et bd : INKLINK ; bg et bm : Blot/RMN. p. 114-115 : AKG. p. 116 h : Boisvieux/HOA-QUI ; bm : Forman/AKG. p. 117 h : AKG ; b : G. P. Faleschini. p. 118 h : Tapisserie de Bayeux, XIe siècle, avec autorisation spéciale de la ville de Bayeux ; m : Forman/AKG. p. 118-119 : G. P. Faleschini. p. 119 h : Photos12.com/ARJ ; bd : Tapisserie de Bayeux, XIe siècle, avec autorisation spéciale de la ville de Bayeux. p. 120 h : INKLINK ; bd : Forman/AKG. p. 121 bg : LAUROS/GIRAUDON ; bd : INKLINK. p. 122 : E. Étienne. p. 123 mm : Knudsens/GIRAUDON ; md : Forman/AKG. p. 124 : Ferguson/Parcs Canada. p. 124-125 : INKLINK. p. 125 hg : AKG ; hd : RIA-NOVOSTI. p. 126-127 : ES/EXPLORER-ARCHIVES. p. 128 h : Nou/AKG ; b : E. Étienne. p. 129 h : Lewandowski/RMN ; m :

Nou/AKG. p. 130 hg : INKLINK ; hd : Lewandowski/
RMN ; m : Nou/AKG. p. 131 : LAUROS/GIRAUDON.
p. 132 h : INKLINK ; b : Nou/AKG. p. 133 h : Boisvieux/
HOA-QUI ; m : Forman/AKG ; b : INKLINK.
p. 134 m : Pleynet/RMN. p. 134-135 : I. Arslanian.
p. 135 : BN. p. 136 m : Roy/EXPLORER-ARCHIVES.
p. 136-137 : INKLINK. p. 137 h : INKLINK ; bd :
DAGLI ORTI. p. 138-139 : G. P. Faleschini. p. 140 h :
Photos12.com/ARJ ; b : Ollivier/RMN. p. 141 h :
Photos12.com/ARJ ; m : Joudiou/Photos12.com ;
b : INKLINK. p. 142-143 : I. Arslanian. p. 143 coin bd :
ES/EXPLORER-ARCHIVES. p. 144 m : INKLINK.
p. 145 m : Boisvieux/HOA-QUI ; b : INKLINK.
p. 146-147 : G. P. Faleschini. p. 148 h : Forman/AKG ;
m : Perno/EXPLORER-ARCHIVES. p. 149 : INKLINK.
p. 150-151 h : I. Arslanian. p. 151 md : Urtado/RMN ;
b : Sappa/RAPHO. p. 152 bg : Musée de l'Homme.
p. 152-153 : Gellie/HOA-QUI. p. 154 h : I. Arsalian ;
b : Sonia Halliday Photographs. p. 155 : Forman/AKG.
p. 156-157 : J.-M. Poissenot. p. 157 h : Renaudeau/
HOA-QUI ; md : Musée de l'Homme. p. 158-159 :
Saunier/RAPHO. p. 160-161 : Musée de l'Homme.
p. 162 g : Wellard/Sonia Halliday Photographs ;
b : Sappa/RAPHO. p. 163 h : Taylor/Sonia Halliday
Photographs ; mg : I. Arslanian ; bd : Huet/HOA-QUI.
p. 164 m : Labat/CFAO/RMN. p. 164-165 : I. Arslanian.
p. 165 h : I. Arslanian ; md : Manaud/RAPHO.
p. 166 : J.-M. Poissenot. p. 167 h : J.-M. Poissenot ; b :
Gerster/RAPHO. p. 168-169 : bibliothèque nationale
de Mexico/AKG. p. 170 : S. Giampaia. p. 171 h : Gohier/
EXPLORER. p. 172 h : Schaffer/ZEFA/HOA-QUI ;
m : Ponsard/Musée de l'Homme. p. 173 h : Dubout/
Musée de l'Homme ; m : S. Giampaia. p. 174 h :
Wojtek/HOA-QUI ; b : INKLINK ; p 175 hd et bd :
DAGLI ORTI. p. 176 h : S. Giampaia ; b : Musée de
l'Homme. p. 177 m : Madrid, musée de l'Amérique/
AKG ; b : S. Giampaia. p. 178 m : DAGLI ORTI ; b :
INKLINK. p. 179 h : INKLINK ; m : bibliothèque
nationale de Madrid/Courau/EXPLORER ARCHIVES.
p. 180-181 : INKLINK. p. 182 h : Bhatala/Musée de
l'Homme. p. 183 bg : INKLINK ; bd : BRIDGEMAN
GIRAUDON. p. 184 h : DAGLI ORTI ; m et bg :
INKLINK ; bd : Bhatala/Musée de l'Homme.
p. 185 : INKLINK.

Les cartes ont été dessinées par DOMINO.
Les dessins du personnage de Junior ont été réalisés
par KILLIWATCH/Christian Maréchal.